FULL SEXUEL

**Catalogage avant publication de
Bibliothèque et Archives nationales du
Québec et Bibliothèque et Archives Canada**

Robert, Jocelyne

    Full sexuel :
    la vie amoureuse des adolescents

    1. Éducation sexuelle des adolescents.
    2. Adolescents – Sexualité.   3. Amour chez
    l'adolescent. I. Titre.

HQ35.R62   2002   613.9′51   C2002–940187–9

Suivez les Éditions de l'Homme sur le Web

Consultez notre site Internet et inscrivez-vous à l'infolettre
pour rester informé en tout temps de nos publications et de
nos concours en ligne. Et croisez aussi vos auteurs préférés
et l'équipe des Éditions de l'Homme sur nos blogues !

EDITIONS-HOMME.COM
EDITIONS-JOUR.COM
EDITIONS-PETITHOMME.COM
EDITIONS-LAGRIFFE.COM

Jocelyne Robert :
jocelyne_robert@videotron.ca

Le blogue de Jocelyne Robert :
http://jocelynerobert.com

Jean-Nicolas Vallée : doublesens@yahoo.com

03–13

Dépôt légal: 2002
Bibliothèque et Archives nationales du Québec
ISBN 978–2–7619–1651–6

DISTRIBUTEURS EXCLUSIFS :

Pour le Canada et les États-Unis :
MESSAGERIES ADP*
2315, rue de la Province
Longueuil, Québec J4G 1G4
Tél. : 450-640-1237
Télécopieur : 450-674-6237
* filiale du Groupe Sogides inc.,
  filiale de Québecor Média inc.

Pour la France et les autres pays :
INTERFORUM editis
Immeuble Paryseine, 3, Allée de la Seine
94854 Ivry CEDEX
Tél. : 33 (0) 4 49 59 11 56/91
Télécopieur : 33 (0) 1 49 59 11 33
Service commandes France Métropolitaine
Tél. : 33 (0) 2 38 32 71 00
Télécopieur : 33 (0) 2 38 32 71 28
Internet : www.interforum.fr
Service commandes Export – DOM-TOM
Télécopieur : 33 (0) 2 38 32 78 86
Internet : www.interforum.fr
Courriel : cdes-export@interforum.fr

Pour la Suisse :
INTERFORUM editis SUISSE
Case postale 69 – CH 1701 Fribourg – Suisse
Tél. : 41 (0) 26 460 80 60
Télécopieur : 41 (0) 26 460 80 68
Internet : www.interforumsuisse.ch
Courriel : office@interforumsuisse.ch
Distributeur : OLF S.A.
ZI. 3, Corminboeuf
Case postale 1061 – CH 1701 Fribourg – Suisse
Commandes :   Tél. : 41 (0) 26 467 53 33
                    Télécopieur : 41 (0) 26 467 54 66
                    Internet : www.olf.ch
                    Courriel : information@olf.ch

Pour la Belgique et le Luxembourg :
INTERFORUM BENELUX S.A.
Fond Jean-Pâques, 6
B-1348 Louvain-La-Neuve
Téléphone : 32 (0) 10 42 03 20
Télécopieur : 32 (0) 10 41 20 24
Internet : www.interforum.be
Courriel : info@interforum.be

FULL SEXUEL

JOCELYNE ROBERT

ILLUSTRATIONS:
JEAN-NICOLAS
VALLÉE

LA VIE
AMOUREUSE
DES
ADOLESCENTS

LES ÉDITIONS DE
L'HOMME
Une société de Québecor Média

À Audray
Jules
Émilie
Alex
Marlène
Laurent
Gabrielle
Jérémie…

… et un peu,
beaucoup,
passionnément
à Toi,
mon ado-boomer
si lyrique
si érotique

PRÉLIMINAIRES

C'est en pensant à Michel, Sylvie, Alexandre, Élisa, Simon, Yannick, Amélie et à tous ces jeunes que j'ai accompagnés au cours des dernières années que j'ai conçu et créé *Full Sexuel* : ils m'ont fourni la matière première de ce livre, m'ont fait voir les sentiers qu'ils ont empruntés, m'ont permis de remettre mes pendules à l'heure des ados. Je les ai écoutés. Je les ai observés. Je les ai vus s'animer, s'émerveiller, se réjouir, aimer... Je les ai vus aussi s'isoler, haïr, souffrir, pleurer, errer, trébucher et se relever, courageusement. Il n'y a que ceux qui rampent qui ne trébuchent jamais! Quand même, combien de fois ai-je pensé : «Ça n'a pas de sens que l'amour fasse souffrir, l'amour devrait rendre joyeux, l'amour devrait rendre tous les gens, jeunes et moins jeunes, amoureux fous de la vie.»

J'ai voulu que tu t'amuses en feuilletant ces pages, en regardant ces dessins, en plongeant dans ce monde qui t'est familier. Et que tu te plaises à discuter avec tes copains, avec ton chum ou ta blonde, avec tes parents, de tout ce qui aura retenu ton attention ou qui t'aura dérangé. Je souhaite que tu ries des situations, de ce qu'elles évoquent pour toi, que tu ries de toi-même ou de moi, peu importe, pourvu que tu ries. Que tu rigoles franchement, nerveusement ou que tu ries jaune, mais que tu te bidonnes !

J'aimerais que tu «entres» dans ce livre, comme tu entres au cinéma. Tu pourras y voir un film-réalité dont tu es non seulement l'auteur mais aussi le réalisateur et l'acteur, comme tu l'es dans ta propre vie. Pour t'aider, au besoin, à mieux voir puis à mieux décider, à mieux choisir... Afin qu'au bout du compte, tu te sentes mieux dans ta peau et plus heureux. Comme toi, j'en ai ras le bol de l'information sexuelle qu'on déguise en épouvantail, j'en ai marre des leçons de «tuyauterie» et de «plomberie» que l'on trouve dans des manuels, j'en ai soupé des émissions de télé axées sur la norme, la performance et la mécanique plutôt que sur l'invention, le plaisir et la relation. Plein le casque des instructions qui mettent l'accent sur les dangers et sur les conséquences désastreuses de la sexualité, alors qu'il y a tant à dire sur les joies qu'elle procure.

Ce qui t'intéresse et t'intrigue, et je te donne entièrement raison, ce sont les prémisses de la sexualité : l'attrait, le désir, le plaisir, la relation, l'amour... C'est de cela dont je veux t'entretenir et sur ces propos que je t'invite à réfléchir au fil des pages. Tu ne trouveras ici ni planches anatomiques, ni descriptions physiologiques, ni litanies sur les maladies, ni énumération de méthodes contraceptives. Ces informations sont utiles, j'en conviens, mais comme tu peux aisément les trouver à l'école ou dans d'autres ouvrages, elles ne serviraient pas le but que je me suis fixé : t'aider, de façon concrète, pratique et sereine à y voir plus clair dans ta vie sexuelle, affective et amoureuse.

En elle-même, la sexualité n'est ni bonne ni mauvaise : elle est. À toi de faire de la tienne une source d'épanouissement plutôt que d'appauvrissement, d'émerveillement plutôt que de dégoût. Avant d'être une dimension humaine à partager, elle est une relation à soi-même et pose des questions essentielles : Que m'apporte ce comportement sexuel ? Est-il bon pour moi ? Pourquoi aurais-je un rapport intime avec ce garçon ? Avec cette fille ? Est-ce que j'en ai vraiment envie ou vais-je le faire seulement pour l'autre ? Est-ce que je me sens bien traité, respecté dans cette relation ? Mes choix sexuels sont-ils en harmonie avec mes valeurs ?

Que l'on ait 15, 30 ou 60 ans, tant et aussi longtemps que nos conduites ne sont pas libres, responsables, joyeuses et respectueuses de soi et de l'autre, le risque est grand que la sexualité soit vécue par procuration, c'est-à-dire qu'elle soit non seulement influencée par les autres mais vécue en fonction des autres.

Pour cerner nos limites, trouver les réponses à nos interrogations, faire des choix heureux, il faut nous regarder dans la glace, nous poser d'autres questions, envisager des situations et de nouveaux scénarios, échanger des idées et nous situer par rapport à elles.

Il n'est pas nécessaire de souffrir pour réfléchir. Cela peut même être un exercice ludique qui prend place dans un contexte d'humour, de joie, de détente. Et parce que réfléchir rime avec rire et sourire, tu trouveras à la fin de chaque chapitre, tantôt un jeu, tantôt un test folichon qui te permettra, du moins je l'espère, de t'amuser tout en te situant par rapport à ta perception de la sexualité, à tes attentes, à tes projets érotiques et sentimentaux. Alors, allons-y !

Chapitre premier

UN GARS, UNE FILLE,
DEUX PLANÈTES

Que les gars ne sont pas constitués comme les filles, rien là de bien nouveau, tu l'avais sans doute déjà remarqué! Pénis et testicules sont extérieurs et bien visibles. À la portée de la main, quoi! La plupart du temps, au moment de la puberté, le garçon expérimente un nouveau plaisir sexuel, l'orgasme, lié à l'éjaculation. Qu'il le veuille ou non, qu'il le recherche ou non, qu'il se masturbe ou pas, cela lui arrive, tout naturellement.

Les organes génitaux féminins sont plus discrets, presque secrets. Vulve, vagin et clitoris, sans être en position de faire du tape-à-l'œil, recèlent leur propre potentiel de plaisir. La jouissance sexuelle de la fille lui tombe rarement dessus comme un cadeau du ciel : avoir sa première menstruation, accompagnée de son cortège de symptômes et de nouvelles habitudes, ce n'est pas précisément ce qu'on pourrait appeler « prendre son pied ». Cela dit, la fille est autant, sinon davantage, capable de plaisirs et d'orgasmes. Pour elle, cette aptitude est cependant soumise à un apprentissage, alors que pour le gars, c'est plus « automatique ». Cela suppose que la fille apprenne à connaître son corps, à en explorer les zones érogènes, à repérer ce qui lui procure du plaisir. Si elle ne part pas à la découverte d'elle-même, elle ignorera tout du fonctionnement de son corps, se condamnant ainsi à espérer bien inutilement la venue d'un prince charmant qui la propulserait au septième ciel.

« C'est injuste ! » protestent les filles. Hum ! De prime abord, ça peut sembler injuste, en effet, mais il n'en est rien. Le corps est là, ses organes bien en place. Il suffit de s'approprier les possibilités de plaisir qu'il procure. Ne nous méprenons pas. Le fait que les garçons aient des réactions plus... primesautières ne signifie nullement qu'ils ont la science infuse en matière de sexualité. Aux prises avec leur emballement génital, ils ont fort à faire et tout à gagner à apprivoiser ce « rikiki » endiablé qui s'excite à tous vents entre leurs jambes. Pas facile de se

calmer le pompon quand la simple vibration d'un autobus déclenche une impertinente érection! C'est vrai, mais quelle joie ce sera pour lui d'explorer bientôt de nouvelles voluptés, de diffuser ses sensations à l'ensemble de son beau grand corps, de se régaler de la tête aux pieds, de ressentir la jouissance dans chacune de ses petites cellules.

De son côté, l'évolution de la fille suit une trajectoire inverse. L'érotisme est pour elle à la fois plus global, plus diffus, plus subtil. C'est de la pointe des cheveux jusqu'au bout des orteils qu'elle savoure ses premiers émois érotiques. Elle sent bien qu'au centre sud de son ventre, un volcan sur le point de s'embraser somnole langoureusement et que tout son corps devient un instrument de plaisirs anticipés. Elle devra apprendre à orienter ses sensations plus dispersées vers sa génitalité assoupie. En parcourant chacun leur bout de chemin, lui du génital au corporel, elle du corporel au génital, ils finiront un jour par se rejoindre et s'harmoniser. Les différences entre les sexes ne sont pas tristes, elles sont source de fascination et de ravissement. Elles étonnent, elles émeuvent et déstabilisent parfois. Bien que cette dissemblance soit connue des gars et des filles, ni les uns ni les autres ne savent trop quoi en faire, ni comment se rapprocher. Voilà pourquoi ils ont tendance à mettre «la charrue avant les bœufs». Si chacun de l'un

et l'autre sexe prenait le temps de comprendre son fonctionnement propre, d'identifier ses plaisirs et ses déplaisirs, tous
deux seraient bien moins dépaysés au moment de partager
leur sexualité. Et surtout, leurs premiers rapprochements érotiques pourraient ressembler davantage à des rendez-vous
doux au premier ciel – il faut bien commencer par le premier si on veut se rendre au septième – qu'à des collisions
génitales !

PLOMBERIE, TUYAUTERIE ET TUTTI QUANTI...

- Le pénis n'est pas une
baguette magique. Sa
dimension n'a rien à
voir avec la capacité
d'éprouver du plaisir
ou d'en prodiguer. Ce
n'est pas parce qu'on a
un petit nez qu'on
perçoit mal les odeurs
ou qu'on respire mal,
n'est-ce pas ?

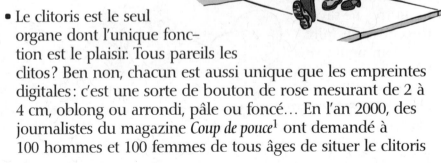

- Le clitoris est le seul
organe dont l'unique fonc-
tion est le plaisir. Tous pareils les
clitos ? Ben non, chacun est aussi unique que les empreintes
digitales : c'est une sorte de bouton de rose mesurant de 2 à
4 cm, oblong ou arrondi, pâle ou foncé... En l'an 2000, des
journalistes du magazine *Coup de pouce*[1] ont demandé à
100 hommes et 100 femmes de tous âges de situer le clitoris

sur un dessin montrant la vulve. Résultat: seulement 49 p. 100 des femmes et 48 p. 100 des hommes ont été capables de le localiser correctement! Comme quoi, l'ABC de la cartographie érotique n'est pas très bien intégré à l'heure où l'on cherche frénétiquement son point G!

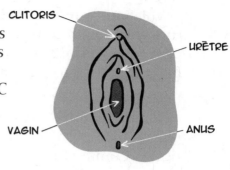

CLITORIS

URÈTRE

VAGIN

ANUS

- Le vagin n'est pas un trou, c'est un espace virtuel – un «écrin de velours» disent les taoïstes orientaux –, qui se fait accueillant et expansif si une fille désire la pénétration, qui se ferme comme une huître si le désir n'y est pas. Inutile d'insister lorsque la porte est fermée. Une multitude d'autres choses «tripatives», jouissives, «orgasmantes» sont à explorer.

- Le point G n'est pas un organe. C'est une zone de sensibilité située approximativement au tiers externe de la paroi vaginale antérieure.

- Des organes génitaux soignés et en bonne santé sont plus propres que le bout de ton nez.

- La menstruation ou les règles sont un signe de santé, de féminité, de bon fonctionnement de l'organisme. Elles sont aussi le symbole d'une formidable capacité de la femme: celle de porter un jour un enfant, si elle le désire. Au moment des règles, la dentelle utérine se détache et entraîne un écoulement de sang par le vagin. À peu près une demi-tasse, pas davantage, et ce sang se renouvelle. Donc, aucun danger!

• L'ovulation correspond à la période de fertilité féminine qui survient 14 jours avant les règles suivantes. Puisque l'on ne peut pas la prévoir avec précision, mieux vaut utiliser un moyen de contraception adéquat de façon constante.

• L'éjaculation involontaire, durant le sommeil ou les rêves, est un phénomène normal et sans risque. Comme tu vois, je ne parle pas de « pollution nocturne », expression détestable et peu ragoûtante utilisée dans le langage médical. Comme si éjaculer signifiait « souiller et dégrader le milieu environnant » !

Tout le corps est une fabuleuse zone érogène, apte à ressentir du plaisir et à en procurer, à aimer et à être aimé. Si les tatouages, scarifications et *piercings* t'allument, sache qu'ils n'influent nullement sur ton potentiel érotique. Mais tu as bien le droit de *triper* sur l'anneau nasal de ta blonde et de *flipper* sur le serpent qui rampe sur la fesse gauche de ton chum. Le vrai « marquage », les vraies empreintes, ce sont celles qui s'inscrivent en nous, quand on a le sentiment que l'autre, en cajolant notre corps, nous caresse le cœur.

Le corps tout entier, grâce à l'enveloppe de peau qui le recouvre du nord au sud, constitue l'organe sensitif le plus vaste. C'est le territoire du sens du toucher. Il est récepteur et

dispensateur de toutes les sensations cutanées : palpation, effleu-
rement, caresse, baiser, chatouille,
léchage, pétrissage, enlacement,
étreinte, morsure, mordillage,
picotement, chaleur, moiteur,
tiédeur, brûlure… Grand ou
petit, maigre ou grassouillet,
épilé ou poilu, le corps
est la zone érogène
la plus étendue.

Dans notre culture
qui voue un véritable culte
au corps et à la beauté (du moins à un prototype d'esthétique), on peut avoir l'impression que tous n'ont pas droit à
l'amour, au plaisir, au bonheur. C'est de la frime. Qui que tu
sois, tu y as droit. Et non, les plus beaux ne sont pas toujours les plus heureux et les mieux aimés. Alors, avant de
t'infliger des régimes amincissants, de te faire planter des
seins en silicone, de te bourrer d'hormones pour muscler
ton corps, de te faire vomir pour maigrir, de te gonfler le
pénis à la pompe, de te lacérer l'épiderme de manière inef-
façable, de tuer tous les poils de ton corps au rayon laser, si
tu te donnais un peu de temps ?

Si tu explorais ce que tu peux faire d'autre pour bonifier
ton estime corporelle ? Les solutions radicales, à la mode ou
pseudo-miraculeuses pour régler nos problèmes sont souvent un leurre. Sans compter que, lorsqu'on y regarde de
plus près, non seulement elles nous sont imposées par des
idéaux culturels de beauté impossibles à égaler, mais en plus,
elles ne règlent en rien nos problèmes.

À TOI DE JOUER!

VRAI   FAUX

Vrai ou faux le corps?

1) Le principal organe sexuel humain est le pénis.   ❏   ❏

2) Les filles n'ont jamais d'orgasme avant 40 ans.   ❏   ❏

3) Les garçons sont des pros du sexe, ils ont ça en naissant.   ❏   ❏

4) Les trois organes qui ont le plaisir pour unique fonction sont les fesses, la bouche et la rate.   ❏   ❏

5) La découverte du plaisir sexuel se fait exactement de la même façon pour les gars et pour les filles.   ❏   ❏

Réponses : Tout est faux. En passant, le principal organe sexuel chez l'être humain, c'est le cerveau. Quant aux autres bonnes réponses, elles sont dans ce chapitre. Si tu en doutes, relis-le attentivement ou demande à ta blonde ou à ton copain de t'aider...

CHAPITRE 2

J'AIME, TU AIMES, PERSONNE NE M'AIME!

TU T'AIMES-TU?

As-tu l'impression que personne ne t'aime? Dans ce cas, il y a fort à parier que tu fais toi-même partie de ces personnes qui ne t'aiment pas. Ton estime de toi-même est au plus bas? À 2 ou 3 sur une échelle de 10? Il peut arriver à n'importe qui de se trouver «poche», inintéressant, nul ou laid. Heureusement, la plupart du temps, cette impression est passagère et circonstancielle. Une foule d'expériences frustrantes peuvent ébranler ton estime personnelle: échouer à l'école, être plaquée par ton chum ou chercher en vain une blonde, subir le rejet de tes copains, te retrouver la bouche pleine de broches... C'est une sorte de passage sombre à traverser avant d'apercevoir la lumière au bout du tunnel. Cependant, si les ténèbres s'éternisent, si le sentiment de ta valeur est au point 0 sur une échelle de 10 et que ça perdure, tu dois te secouer les puces et aller chercher de l'aide sans plus tarder.

L'estime de soi se nourrit beaucoup du regard que les autres posent sur nous. Les messages que nous a renvoyés notre entourage au cours de notre vie ont contribué à façonner le jugement que nous portons sur nous-mêmes. Cela ne veut pas dire, si ton estime personnelle est faible, que tu dois te considérer comme une victime misérable, impuissante, se lamentant sur son sort! Au contraire, en découvrant que tu te mésestimes, tu peux prendre conscience que tu as le pouvoir de renverser la vapeur: ce n'est pas parce que d'autres, par leurs paroles et leurs attitudes, t'ont transmis une piètre image de toi que tu devrais croire qu'ils ont raison. Une métaphore en guise d'exemple. Prenons un billet de 20\$[2]. Tu peux facilement imaginer que ce billet a circulé dans toutes sortes de mains, des propres et des sales. Il a été manipulé, lancé, froissé, déchiré, recollé, plié, pilé, écrasé. Si tu te présentes au magasin avec ce billet, quelle valeur aura la

marchandise que tu obtiendras en retour? Une valeur de 20$, n'est-ce pas? Un 20$ «magané» vaut autant qu'un 20$ fraîchement imprimé. Il en va de même pour celui ou celle qui s'est fait rabaisser par des mots injurieux ou des gifles affectives. Il est flétri, marqué de cicatrices, mais sa valeur intrinsèque, sa valeur réelle est toujours la même. Une fois que l'on sait cela, on se relève et on constate: «On m'a fait avaler que je ne valais rien. Si je ne détiens pas la vérité, les autres non plus!» À partir de là, on peut se faire confiance de nouveau et, progressivement, reprendre confiance en soi, dans les autres et dans la vie.

Avoir une solide estime de soi ne signifie pas être résigné, gentil et «gnangnan». Cela indique que l'on est conscient de ses forces et de ses faiblesses, prêt à assumer sa juste part de responsabilités, disposé à s'affirmer, dans le respect de soi et des autres. Cela signifie que l'on peut commencer à aimer parce que l'on a recommencé à s'aimer soi-même. Et ce, même si le sentiment d'avoir été mal aimé persiste.

C'est vers l'âge de sept ans que tu as développé une perception globale de ta valeur personnelle. Relativement stable jusqu'à l'âge de la puberté, ton estime de soi a pu se mettre à faire du *bungee* avec les nouvelles expériences qui accompagnent l'adolescence. Plus tu te placeras dans des situations susceptibles d'augmenter ta confiance, ton expérience et ton sentiment de compétence, mieux ton estime personnelle se portera.

TOP MODEL + PÉTARD DE MÂLE = BONHEUR?

Mon œil! Estime de soi et capacité de bonheur dépendent peu des attributs physiques. C'est vrai que la beauté attire, fascine. Vrai aussi qu'on baigne dans une mer médiatique qui prescrit d'inaccessibles canons de beauté: une fille se doit d'être svelte, d'avoir les nichons qui lui rebondissent sous le menton, des jambes à n'en plus finir, un sourire publicitaire; un gars est tenu d'avoir le muscle dur, le regard ténébreux, le pénis indéfectible, la voix basse

et virile. Pire encore, l'air du temps distille l'idée que septième ciel, succès et sexualité sont réservés aux jeunes qui
sont beaux, en santé, riches et bronzés! Avec de tels gaba-
rits comme valeurs, je ne m'étonne plus de rencontrer des
filles de 14 ans qui menacent de se suicider parce que leurs
parents leur refusent une liposuccion; des gars de 16 ans
qui se procurent des pompes péniennes (instrument médical) pour se don-
ner des érections
hippopotamesques,
au risque de leur
santé.

Je ne prétends
pas que seules comp-
tent la grandeur d'âme
et la beauté intérieure.
Nous sommes des êtres
incarnés, nous avons
tous besoin de nous
sentir beaux et belles.
Dehors comme dedans.
De là à sombrer dans le
ridicule de la beauté à
tout prix, il y a une
marge. Je lisais récemment les résultats d'une enquête
effectuée dans un collège américain auprès de jeunes de
12 à 16 ans[3]. À la question: préférerais-tu être laid ou
idiot? La grande majorité a affirmé «être idiot». Puis à la
question «préférerais-tu être laid ou te faire couper un
bras?», la réponse la plus fréquente a été: «me faire couper
un bras.»

Je ne sais pas ce que tu en penses, mais, moi, j'ai peine à imaginer qu'une personne puisse être amputée de son intelligence et de ses membres et rester belle et sexy?

La réalité c'est que dans la vie, il y a des choses immuables: la couleur des yeux, le teint et le grain de la peau, la grandeur, le timbre de la voix... Tout compte fait, il y en a peu. En contrepartie, nous avons

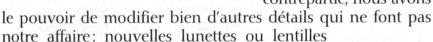

le pouvoir de modifier bien d'autres détails qui ne font pas notre affaire: nouvelles lunettes ou lentilles qui donnent un regard séducteur, traite- ment en orthodontie pour un sou- rire de pub, soins der- matologiques pour une peau de satin, thérapie avec un spé- cialiste pour un pro- blème de bégaiement, soutien-gorge pi- geonnant pour des seins discrets et me- nus, consultations en diététique pour un problème de poids.

Quant aux solutions radicales et irréversibles comme la chirurgie esthétique, tu ferais bien de patienter jusqu'à la fin de ta croissance avant de les envisager. « Pourquoi attendre ? C'est maintenant que je veux plaire ! » dis-tu. Écoutons Véronique :

> *De 12 à 16, 17 ans, une dégueulasse brioche de graisse me tenait lieu de ventre. Je rêvais de me faire siphonner ce « kilo de beurre », je voulais une liposuccion à tout prix, je travaillais pour me la payer même si mes parents s'y opposaient systématiquement. Aujourd'hui, j'ai 20 ans et, sans que je n'aie rien fait pour le changer, mon ventre est aussi creux qu'une… dent creuse.*

Je prends au sérieux ton besoin de te trouver beau ou attrayante. C'est légitime de vouloir se réjouir de l'image que nous renvoie le miroir. Mais tu pourrais sans doute considérer avec un œil plus critique les super mâles et les beautés fatales étalés dans les magazines. Ces Ken et ces Barbie ont souvent été charcutés et remodelés d'un bout à l'autre. De plus, les photos sont tripotées à un point tel que tu ne reconnaîtrais peut-être même pas l'original si tu le croisais au dépanneur. Et puis, tu as vu Michael Jackson ? À trop vouloir être beau, blanc, sexy, il a fini par avoir l'air d'une marionnette. À côté de lui, Pinocchio est un sex-symbol. J'ai connu quantité de filles, remarquablement belles mais malheureuses comme des pierres, toujours insatisfaites, angoissées à l'idée d'être jugées idiotes, parce qu'elles étaient trop parfaites. Et bien des garçons séduisants, attirants comme des aimants, mais rongés par le doute et obsédés par la performance, craignant toujours de ne pas être à la hauteur de leur belle gueule. La beauté, c'est bien. Mais ça n'est jamais une police d'assurance contre l'échec et la souffrance.

J'VEUX D'L'AMOUR! J'VEUX D'L'AMOUR! J'VEUX D'L'AMOUR!

Des filles rivées au combiné téléphonique, attendant fébrilement le coup de fil de l'amoureux, j'en ai rencontré à la douzaine. Pour être sûre d'être là au cas où..., elles refusaient sorties et invitations, s'enfermaient dans la maison. Des gars aussi, qui pétaient les plombs quand leur blonde adressait la parole à un autre, qui s'écroulaient de désespoir lorsque la beauté convoitée refusait leurs avances, qui décrochaient parce que leur blonde avait changé d'école...

Don Juan et Casanova n'étaient pas de grands amoureux. Ils étaient des ogres qui dévoraient leur proie, des accros de l'amour, des dépendants affectifs. Cette voracité en amour qu'on appelle dépendance affective se pointe souvent à l'adolescence. Un mal qui fait souffrir celui qui en est atteint autant que ceux qui lui sont proches. Pour évaluer tes tendances, tu peux te poser ces questions:

• Ai-je peur d'être abandonné au point d'être prêt à tout pour garder mon partenaire?

- M'arrive-t-il de me laisser malmener, physiquement, verbalement ou sexuellement ou d'agir ainsi à l'endroit de l'autre?

- Mon niveau d'estime personnelle est-il à 4 ou moins sur une échelle de 10?

- Ai-je des problèmes de consommation ou mon partenaire est-il aux prises avec ce problème?

- Suis-je d'avis qu'il est naturel que l'amour fasse souffrir?

Si tu réponds oui à une seule de ces questions, tu es peut-être sur la pente de la dépendance affective. Aussi bien t'en rendre compte tout de suite, te ressaisir avant de dégringoler en enfer.

- Première étape: admettre ta difficulté sans quoi tu ne pourras jamais te retirer d'une relation destructrice;

- Deuxième étape: t'entourer d'amis, d'amies ou de membres de ta famille qui peuvent être d'un grand secours quand rien ne va plus;

- Troisième étape: consulter une personne de confiance, à ton école, au CLSC ou dans une clinique jeunesse. À cet effet, tu trouveras des références au chapitre 13.

Émilie, 15 ans, gît devant moi. Elle est effondrée parce que Antonin l'a trompée. Il lui a avoué qu'il ne l'aimait plus. Quand ça allait bien entre eux, «on partageait tout», dit-elle. Elle l'aidait dans ses travaux scolaires, l'encourageait dans ses activités sportives, ne faisait rien d'autre que l'attendre lorsqu'il était occupé ailleurs.

Toujours disponible, toujours prête à lui rendre service, elle lui faisait même profiter de son *cash* à elle… «Il m'aimait, c'est sûr. À preuve, sa jalousie: Il stressait au *max* quand d'autres gars me regardaient, me traitait de tous les noms si j'avais l'air d'apprécier qu'on me drague.» Plus rien n'intéresse Émilie. Elle ne «peut pas se passer de lui». Sans le regard d'Antonin sur elle, elle n'existe plus. Sa *best* lui a suggéré de venir me voir pour que je l'aide à trouver des moyens de le reconquérir…

Tu penses quoi de cette situation? Amour ou esclavage? Ai-je bien fait d'aider Émilie à recouvrer sa dignité et son autonomie, plutôt que de l'aider à remettre le grappin sur Antonin?

Aussi fréquente chez les deux sexes, la dépendance affective se manifeste différemment chez l'une et l'autre: la fille encaisse, le gars crie; elle redouble de séduction et se montre indispensable, il pique une crise de nerfs. Jalousie et contrôle, violence ou soumission, rage ouverte ou silencieuse, domination ou victimisation sont les ingrédients de ce plat indigeste. Chacun veut être le nombril du monde de l'autre, son poumon. L'un comme l'autre sont prêts à toutes les bassesses pour ne pas laisser échapper leur «bourreau d'amour»… Tout ça peut changer. Si on est conscient du problème et si on veut ce changement.

Ne pas réagir, c'est se condamner à quémander éternellement des marques d'attention et d'affection.

Peut-être connais-tu des gens qui sont comme ça? Tu sais, cette personne qui tète goulûment les regards et l'admiration comme un bébé cramponné au biberon ou au sein maternel!

LA PEINE D'AMOUR ET LE MAL D'AMOUR

Avoir une solide estime de soi, ne pas souffrir de dépendance affective, n'immunisent pas – hélas – contre la peine d'amour. L'amour occupe une bien grande place dans la vie des êtres humains. Chacun veut aimer, être aimé, se sentir important, unique. Qui n'est jamais tombé follement amoureux? Qui n'a jamais éprouvé ce sentiment d'aimer l'autre à la folie, de le voir dans sa pizza, de ne plus y voir clair, de l'aimer pour toujours? Tomber en amour, c'est merveilleux, mais ça comporte aussi des risques. L'un de ces risques, c'est de tomber bien bas quand rien ne va plus, quand l'aimé nous quitte, quand le chagrin d'amour déloge le bonheur d'amour. Alors, le cœur est fracturé. Et si, pour comble, la trahison nous est annoncée par un tiers, l'ego est en miettes. Cette énorme épreuve, terrible, cruelle, insupportable, est le lot de bien des gens.

Si ça ne t'est jamais arrivé, aussi bien voir venir: tu n'es pas à l'abri. Aimer follement suppose nécessairement que l'on puisse souffrir follement aussi. Si tu vis actuellement cette torture, sache qu'elle est intolérable... mais normale. Je ne te suis peut-être pas d'un grand secours en disant cela. Mais ça n'arrangerait rien non plus si j'affirmais bêtement: «Une de perdue, dix de retrouvées!» ou «Tu ne t'en souviendras pas le jour de tes noces!».

Quand on éprouve une grande tristesse, il n'y a pas d'autre choix que de la vivre, de la ressentir, jusqu'à ce qu'elle ne soit plus qu'un souvenir. Personne, aucun spécialiste ou

magicien, ne peut porter ou effacer la peine d'une autre personne. Durant ce voyage en enfer, tantôt bref, tantôt intermi-
nable, on est tout chamboulé : crises de larmes ou de colère,
repli sur soi, usage ou augmentation de l'usage d'alcool ou de
drogue, actes violents ou délinquants, déprime, perte d'intérêt
pour l'école, les copains, les sorties. Ou, au contraire, butinage
amoureux et fuite dans un million d'activités pour s'étourdir.
On ne sait plus où donner de la tête et du cœur.

S'il t'arrive de te sentir K.-O., sonné de chagrin, rappelle-
toi qu'un K.-O. est temporaire. Tôt ou tard, les lettres vont
s'inverser et tu vas redevenir OK. Souviens-toi aussi qu'il
faut du temps pour liquider un deuil et retrouver l'espoir.
Une étude effectuée auprès de 100 jeunes d'environ 15 ans[4]
révèle que, pour près de 40 p. 100 d'entre eux, la peine
d'amour a duré moins d'un mois. C'est plutôt réconfortant,
non ? Voici leurs conseils.

Ce qui aide, selon eux, à dissiper la peine d'amour :
• Se divertir ;
• Rechercher le soutien de ses amis ;
• Réfléchir et consulter une personne ressource ;
• Avoir confiance que le temps arrange les choses ;

• Parler de sa peine à une personne de confiance
(98 p. 100 des jeunes interrogés le recommandent).

Ce qui nuit, selon eux :
• S'isoler ;
• S'ankyloser dans l'alcool ou la drogue ;
• Rechercher les situations qui font penser à l'autre ou reprendre contact avec l'être aimé ;
• Revoir l'ex avec son nouvel amour.

Une dernière chose. En état de découragement, il faut surtout t'enlever de la tête que nul n'est en mesure de comprendre ce que tu éprouves. Si tu es en peine d'amour et que personne parmi tes proches ne te tend la main, brise toi-même ton cocon de détresse et va chercher le secours dont tu as besoin pour t'en sortir. D'anciens adolescents, qui sont tous déjà passés par là, ne demandent qu'à t'aider. Ils attendent ton appel (voir chapitre 13).

À TOI DE JOUER!

Je m'aime un peu, beaucoup, pas du tout...

	OUI	NON
1) Je suis satisfait-e de mon apparence physique.	❏	❏
2) Je plais aux filles ou je plais aux garçons.	❏	❏
3) J'ai des ami-es.	❏	❏
4) J'ai un ou une *best*.	❏	❏

Réponses :

8 à 10 oui :

Excellente estime de soi. Bravo! Pour être sûr que tu te perçois de façon réaliste, demande à un parent ou à un camarade de remplir ce questionnaire en jouant à être toi et comparez vos résultats.

6 à 8 oui :

Assez bonne estime personnelle. Profite de cette lecture pour examiner les points où tu t'apprécies moins.

5 et moins :

Tu n'es certes pas *full* heureux et tu dois absolument apprendre à améliorer ta perception de toi-même. Mets-toi au travail.

Si ton score avoisine le zéro, n'hésite pas à te faire aider. Ça vaut la peine. **Tu** en vaux la peine.

Attention :

Si tu t'aimes à la folie, si tu crois que toute la planète délire sur toi, tu as aussi un problème. Une estime de soi à 100 sur une échelle de 10, ce n'est vraiment pas bon signe…!

	OUI	NON
5) Je suis fier ou fière de moi la plupart du temps.	☐	☐
6) Je suis capable de refuser des demandes.	☐	☐
7) Je me permets parfois d'être différent-e des autres.	☐	☐
8) J'ai plutôt confiance en moi.	☐	☐
9) Mes amis et amies me trouvent beau ou belle.	☐	☐
10) Je ne me désintègre pas si je n'ai pas de chum ou de blonde[5].	☐	☐

CHAPITRE 3

JE DRAGUE, TU DRAGUES, ON « POGNE » OU PAS ?

Il me plaisait terriblement. Au lieu de le lui montrer, je jouais l'indifférente. J'aurais préféré qu'il me devine. Il était si beau, si hot, et moi, si ordinaire. J'étais persuadée que je ne pouvais pas l'intéresser. Ça durait depuis des semaines et mon béguin aussi. Un jour, j'ai pris mon courage à deux mains : je suis allée m'asseoir à côté de lui, à la café, et je lui ai parlé. Ça s'est super bien passé ! Il m'a avoué, après quelques rencontres, que je l'attirais depuis longtemps, mais qu'il était trop timide pour faire les premiers pas…

Delphine, 14 ans

SÉDUCTION

Comment plaire? Séduire? Manifester son intérêt? Comment éviter de faire rire de soi ou d'être rejeté? Il arrive qu'on soit attiré par un garçon qu'on trouve beau, par une fille qu'on juge très *sexy*. Cette personne correspond à notre type physique. Il se peut toutefois qu'après un fort attrait initial, on se rende compte que non, cette fille ou ce garçon ne nous convient vraiment pas. Il y a toutes sortes de manières de séduire et d'être séduit: une conversation passionnante sur un sujet d'intérêt commun, le sens de l'humour, le plaisir que l'on éprouve à partager certaines activités de loisir ou à apprécier la même musique...

Un garçon t'intéresse? Une fille t'est tombée dans l'œil? Le plus simple est encore de le lui faire savoir. Au mieux, le «dragué» répondra positivement à tes signaux de séduction

par un sourire entendu ou par un regard qui en dit long. Au pire, il restera froid et distant. Qui ne risque rien n'a rien! Dans nos rêves les plus beaux, les amoureux se comprennent en silence, se dévorent des yeux, se tombent dans les bras, éperdus de passion et d'amour pour l'éternité... Dans la vraie vie, manifester clairement ses intentions et sentiments demeure le meilleur moyen d'éviter des malentendus et des désillusions. Il faut un certain courage pour se prononcer, pour dévoiler ses intentions, et le courage est en soi séduisant. Un gars ou une fille capable d'exprimer ses penchants impressionne. Un gars ou une fille qui sait décliner une invitation avec gentillesse s'attire le respect de l'autre.

S'il t'arrive de tenter une approche et d'essuyer un refus, évite de conclure hâtivement que tu ne vaux rien. Ce que le destinataire repousse alors, c'est ta proposition, pas toute ta personne. Bien des gens sont incapables d'accueillir une critique ou de se faire dire «non» sans s'écrouler de désespoir ou sans se sentir complètement nuls. Pourtant, on peut décliner une invitation ou adresser un reproche tout en continuant d'apprécier ou d'aimer la personne concernée. Si je dis à Jean-Nicolas, qui a illustré ce livre, «Ce dessin me désappointe», ça ne signifie pas que Jean-Nicolas me déçoit! Vu? Le hic, c'est que bien souvent les mots dépassent la pensée parce qu'on ne porte pas attention à la manière dont on les formule. Combien de fois entend-on des parents dire à leur enfant: «Tu me déçois tellement!», alors qu'ils veulent simplement lui exprimer qu'un aspect de sa conduite les a déçus? Dans cette ligne de pensée, lorsque tu te trouves en situation de refuser une avance, au lieu de clamer «Tu ne m'intéresses pas!», tu pourrais peut-être dire «Ta proposition ne m'intéresse pas» ou encore «Sortir *steady* avec toi ne me tente pas».

La séduction est un art en demi-teintes. Parfois, on en fait trop et les résultats sont contraires à l'effet recherché.

Celle qui essaie par tous les moyens de plaire ou d'attirer l'attention, celui qui tartine la fille convoitée d'attentions excessives ou qui la suit *téteusement* comme une ombre perd son charme et ses pouvoirs de séduction. Il faut être attentif aux messages qui indiquent qu'on y va trop vite ou trop fort.

PIQUEUR DE BLONDE, VOLEUSE DE CHUM...

Il est possible que le chum de ta meilleure amie t'attire, que tu rêves à la blonde de ton *best*. Voilà une situation délicate qui exige réflexion. D'abord, tu as intérêt à te demander : suis-je amoureux ou suis-je surtout tenté de me prouver que je suis irrésistible ? Ai-je tendance à comparer mon potentiel de charme à celui de mes copains ou copines et de le mesurer au leur ? Une réponse affirmative te signale que tu ferais bien de ralentir tes ardeurs conquérantes.

Par ailleurs, si tu juges ton engouement solide, tu devras tenir compte d'une amitié à laquelle tu tiens autant qu'à cette hypothétique relation amoureuse. Mieux vaudra tourner sept fois ta langue dans ta bouche et ravaler vingt-quatre fois ta salive avant de révéler tes sentiments à l'élu de ton cœur. Quelle que soit ta décision, au moins l'un de vous trois aura à en souffrir. Ton ami aura mal si tu lui piques sa blonde, ton amie souffrira si tu lui voles son chum. Il ou elle sera triste si vous vous brouillez par sa faute. Quant à toi, dans un cas comme dans l'autre, tu auras à en pâtir, car toutes les issues comportent des risques : te taire et endurer en silence ou agir et perdre une amitié. Sans compter que tu t'exposes à perdre les deux si l'objet de ton amour ne veut rien savoir de toi. De toute évidence, prendre une décision dans ce cas n'est jamais facile. Choisir, quelque chose ou quelqu'un, suppose toujours qu'on perde ce que l'on ne choisit pas.

LES *MANIPULADOS* DE L'AMOUR

Entre la drague effrénée et la manipulation, il n'y a qu'un pas de rat. Entre la dépendance affective et la tendance à se laisser manipuler, il n'y qu'un pas de chat. À tort ou à raison, les adultes accusent souvent les adolescents d'être des manipulateurs de première. Clarifions cela tout de suite : utiliser la manipulation et être un vrai manipulateur sont deux choses. Et puis, les ados qui tombent dans la marmite de la manipulation ont bien dû l'apprendre quelque part...

La manipulation, c'est l'art du camouflage, l'habileté à exploiter les faiblesses d'autrui afin d'obtenir ce que l'on veut. Voici quelques illustrations verbales d'attitudes manipulatrices.

> *Si tu m'aimais vraiment, tu ne me ferais pas cela...*
> *Si tu avais fait ce que je te demandais, cela aurait fonctionné entre nous.*
> *Personne ne me comprend... Pas même toi !*

Le manipulateur joue la victime, rend l'autre responsable de ce qui lui arrive et exerce un chantage afin de le culpabiliser. Il exprime rarement des demandes claires. Te reconnais-tu là-dedans ? Ces paroles te font-elles penser à quelqu'un ? Tu peux utiliser les trucs qui suivent pour diminuer tes tendances à manipuler ou à te laisser manipuler.

• Énonce clairement tes demandes ou incite l'autre à le faire.
Si tu me disais clairement ce que tu veux, on pourrait en parler.

- Responsabilise-toi ou amène l'autre à le faire.
  Je ne te laisserai pas dans le vague : je ferai l'amour avec toi lorsque je serai prête et que j'aurai suffisamment confiance.

- Ne joue pas à la victime ou refuse que l'autre tienne ce rôle.
  Tu dis que je me fiche de toi, c'est faux. Je crois que je t'aime ; si tu en doutes, je n'y peux rien.

Ça te paraît compliqué? Les messages confus le sont bien davantage. Pour t'en convaincre, examine l'énoncé suivant : Une personne que tu invites au ciné te répond : «Je vais te faire signe bientôt.» Qu'est-ce que tu penses que cela veut dire? Est-ce que ça ne laisse pas l'autre dans l'attente et dans le vague? «Je vais te faire signe», ça veut dire quoi? Qu'il va t'écrire? Qu'elle va t'envoyer un courriel? Téléphoner? Faire de la télépathie? Venir danser sous ta fenêtre? Et ce «bientôt» signifie-t-il demain, dans une heure ou deux, à quatre heures du mat, dans une autre vie? Ne serait-il pas plus net, plus simple et rassurant, de dire ou de s'entendre dire : «Je vais te téléphoner mardi, après le souper.»?

Une relation agréable se fonde sur une bonne communication, le respect et la confiance. Pour être de «bons amoureux», ça aide si on est d'abord de bons amis.

À TOI DE JOUER!

Suis-je un *manipulado*?

		OUI	NON
1)	*Je suis un* winner. Je fascine les autres, j'ai toujours le dernier mot et je me suis toujours arrangé-e pour être le ou la chouchou de ma classe.	❑	❑

2) *Je suis irrésistible.*
   J'obtiens ce que je veux de mes parents,
   car je sais m'y prendre : rendre un petit
   service, étaler un de mes succès, flatter
   dans le sens du poil, raconter un malheur
   qui m'est encore tombé dessus…
   Et tout ça, toujours au bon moment.

   OUI ❏   NON ❏

3) *Pour attirer l'attention d'une fille ou d'un garçon :*
   Je m'habille dans son style pour lui faire
   croire qu'on est fait pour aller ensemble ;
   je fais semblant que j'aime la même
   musique ou je lui parle d'un spectacle
   que je n'ai même pas vu pour l'impressionner.

   ❏   ❏

	OUI	NON

4) *Le chum ou la blonde de mon ou de ma* best
me plaît terriblement:
Je laisse entendre à l'un des deux que
l'autre est infidèle car s'ils se brouillent,
je serai là pour consoler celle ou celui que
je désire; je m'arrange pour être seul-e avec
lui ou avec elle et lui faire voir qu'on
serait bien mieux ensemble… ❑ ❑

5) *Quand je veux avoir des relations sexuelles avec*
une fille, je me comporte ainsi:
Je n'hésite pas à lui faire croire que c'est
la première fois que je suis amoureux, à
lui dire qu'elle est la fille *la plus géniale*
que j'ai jamais rencontrée, à m'inventer
des malheurs pour l'attendrir. ❑ ❑

6) *Quand je ne veux pas coucher avec un garçon*
très populaire que j'aime bien, je me comporte
comme ceci:
Je lui fais croire que c'est pour bientôt afin
qu'il n'aille pas voir ailleurs. Je ne lui dis
surtout pas que je ne veux pas, car il ne
s'intéressera plus à moi, et je m'invente
une grosse blessure amoureuse pour
attirer sa sympathie. ❑ ❑

Réponses :

• Si tu te reconnais dans ces stratégies de séduction, c'est que le chapeau de mani-pulado te va comme un gant. Tes tactiques vont marcher jusqu'à ce que tu ren-contres quelqu'un de plus manipulateur que toi qui te fera souffrir à ton tour. Ou encore jusqu'à ce qu'un garçon ou une fille refuse de se laisser manipuler; te démasque et t'aide à développer des stratégies amoureuses clean et bien plus séduisantes...

C'est possible de retenir l'attention de quelqu'un en restant soi-même:

• Tu peux dire à ton meilleur ami que sa blonde te plaît, que ça te rend mal à l'aise et que c'est pour ça que tu lui en parles;

• Tu peux séduire une fille, qui n'est pas une cruche, par ton honnêteté bien plus qu'en la baratinant;

• Tu peux révéler à un garçon qu'il est un ami formidable, mais que tu n'as pas l'intention de coucher avec lui. Il n'y a rien d'insultant à être traité en ami formidable! Et tu peux aussi lui confier que tu aimerais bien être plus intime avec lui...

CHAPITRE 4

JE BAISE, TU BAISES, ON BAISE OU PAS?

Ma première fois s'est passée dans un parc. J'avais 14 ans. J'étais flattée qu'un gars de 18 ans s'intéresse à moi. On a bu et fumé. Comme je n'avais pas l'habitude de consommer, j'ai vite été «faite». Quand j'y repense, ça me lève le cœur. Comme un mauvais film, comme si j'avais été violée… Aujourd'hui, j'ai 18 ans. Je ne peux pas effacer cette expérience, mais je ne voudrais surtout pas que ma fille, si j'en ai une un jour, commence sa vie sexuelle comme ça…

Sylvie

Y A-T-IL UNE VIE SEXUELLE À PART LA BAISE?

Qu'elle ait été agréable ou pas, on se souvient presque toujours de la «première fois». Comme bien d'autres, Sylvie a été désillusionnée par sa première expérience. Peut-être as-tu noté que, dans son témoignage, elle associe «premier rapport sexuel avec pénétration» et «vie sexuelle». Presque tout le monde en fait autant. Cette manie, bien ancrée, de considérer la sexualité comme une petite escapade du pénis dans le vagin, de limiter l'expérience érotique au coït, m'agace et me contrarie. As-tu déjà remarqué qu'on parle de relation sexuelle «complète» ou «incomplète», selon qu'il y a ou non pénétration? Les recherches et les études dans le domaine encouragent cette vision erronée en associant le début de la «vie sexuelle active» aux premiers «rapports coïtaux». Or, on a tout intérêt à se rappeler que la sexualité et le plaisir comportent des registres bien plus larges qui ne se limitent pas à l'accouplement ou à la jonction de certains organes. Il existe mille plaisirs à découvrir, à explorer, à ressentir, à savourer outre le va-et-vient pénis-vagin.

Chez les Chelik et chez les Notiari de l'Inde[6], les filles et les garçons sont incités à former des couples occasionnels qui échangent toute une gamme de caresses érotiques: massages, peignages, caresses corporelles et génitales... Le coït a lieu lorsque la fille est prête et le propose au garçon qu'elle a choisi. Ces rapports entre adolescents témoignent de l'importance de s'éveiller à toute une panoplie de bonheurs avant de devenir un jour de bons amants.

Il y a des rapprochements érotiques, amoureux, sensuels et sexuels, avec ou sans pénétration. Que le pénis et le vagin s'abouchent ou pas, une rencontre érotique est complète

lorsque la tête, le cœur et le corps de l'un fêtent avec la tête, le cœur et le corps de l'autre. Quoi de plus incomplet pour une personne – et de plus insatisfaisant – qu'une galipette pénis-vagin avec l'esprit ailleurs, le cœur absent et le reste du corps déconnecté! Dans la pornographie, les pénis se branlent dans tous les orifices et cet attirail génital présente un spectacle morcelé de la sexualité.

CETTE SACRÉE PREMIÈRE FOIS

À l'adolescence, les corps sont en émoi. Le désir, les sensations troublantes, l'excitation font chavirer la tête, le corps et le cœur. On devient boulimique de sensations. L'envie de goûter à tout et vite se fait pressante pour ne pas dire oppressante. Les jeunes sont vivement sollicités à sauter, pénis et vagin liés, dans ce que d'aucuns appellent la sexualité active et que le cinéma, les clips et les romans présentent comme l'extase suprême. Dans l'univers médiatique, les jeunes couples s'aiment, ont des corps parfaits, sont d'habiles amants, jouissent en même temps et à n'en plus finir. Sur cette planète de rêve et d'extra-terrestres, pas de boutons, pas de condylomes, pas de culottes de cheval, pas de maladresses, pas de grossesses involontaires ni de condoms à enfiler. Hum... Revenons sur terre.

Je rêvais qu'on faisait l'amour. J'avais imaginé que ce serait romantique, merveilleux. J'ai trouvé ça tellement nul que j'avais juste hâte que ça finisse et qu'il décolle !
Marie-Isabelle, 15 ans

La première fois mène rarement au septième ciel. On n'est pas au cinéma ! La première union coïtale peut néanmoins être une belle expérience de partage et être très agréable si on la désire tous les deux, si on a bien choisi son partenaire et planifié le moment. Un premier ciel, quoi ! Trop souvent, hélas ! « la première fois » ressemble à celle de Sylvie : elle survient lors d'une fin de *party*, se révèle improvisée, imposée, exécutée en vitesse dans un lieu inconfortable, dans l'angoisse d'être surpris, dans la peur des conséquences...

La première fois en chiffres[7]

- Environ 25 p. 100 des garçons et 50 p. 100 des filles sont déçus de leur « première fois ».

- Neuf filles sur 10 n'atteignent pas l'orgasme, même si plusieurs déclarent qu'elles auraient pu y parvenir si elles avaient été stimulées autrement ou adéquatement...

- La vaste majorité des garçons disent avoir obtenu un orgasme, mais plusieurs s'étonnent de ne pas avoir trouvé la chose aussi «extraordinaire» qu'ils se l'étaient imaginée.

- La plupart des garçons ont le sentiment d'avoir été de piètres amants.

- Garçons et filles souhaitent qu'elle se déroule dans un contexte amoureux, mais…

- Les gars n'hésitent pas à la vivre avec une fille pour laquelle ils n'éprouvent pas de sentiments affectueux, alors que la majorité des filles veulent être en amour pour faire l'amour la première fois.

L'angoisse d'avoir mal?

Est-ce que ça fait mal lors de la première pénétration vaginale? Si le tout se déroule en douceur, si le vagin est bien lubrifié et si la fille est suffisamment excitée sexuellement: non. Une sorte

de pincement, douleur légère de courte durée et parfois un léger saignement. L'hymen, cette fine membrane qui voile partiellement l'entrée du vagin, a souvent été écarté graduellement lors de l'utilisation de tampons hygiéniques ou au moyen de caresses à l'entrée du vagin. Plus la fille est détendue, plus les muscles de son vagin seront souples, extensibles, accueillants. Écarter gentiment l'hymen par des caresses (mains, bouche, langue) afin de le dilater n'est pas interdit!

L'angoisse de la nudité?

C'est gênant de se retrouver nu devant l'autre. «Comment me trouvera-t-elle à poil? Je suis bien mieux habillé.» «Il va se rendre compte que je ne suis pas une reine de beauté…» Le mieux, c'est d'y aller progressivement. On n'est pas là pour se donner en spectacle et on ne tourne pas un film XXX. Créer une atmosphère aidera certainement: draps frais, lumière diffuse, musique agréable, confort et surtout, surtout, surtout, du temps pour en profiter. Si, avant cette «première fois», on s'est amusé à se dévoiler progressivement l'un à l'autre, par petits bouts de corps et à petites gorgées, plutôt que d'un coup sec, la nudité se révélera toute naturelle.

JE SUIS PARFAITEMENT À L'AISE, CROIS-MOI...

Quand on n'a jamais vu d'autres vulves que celles, rosies et maquillées, des magazines pornos ; quand on n'a jamais aperçu d'autre pénis que celui de son petit frère de 5 ans ; quand ni le gars ni la fille n'ont contemplé d'autre chair que celle lustrée, ferme, épilée et redécoupée des publications érotiques, tous les deux risquent d'avoir un petit choc. Pas un pénis n'est pareil à un autre : il y en a des circoncis et d'autres pas, des minces et des trapus, des roses et des beiges, des coquins et des tristounets. Si tu aimes bien son porteur, tu risques de le trouver sympathique. Il n'y a pas non plus une vulve qui soit identique à une autre. Chacune comprend les grandes et les petites lèvres, l'orifice vaginal et le clitoris, mais chacune a sa personnalité propre, sa couleur et son petit air bien à elle. Nous avons tous deux yeux, un nez, une bouche et nous ne nous ressemblons pas pour autant, non?

L'angoisse de dérouler le condom?

La meilleure façon de diminuer ce stress, c'est de se faire copain à l'avance avec ce futur meilleur ami : le condom.

Je sais que bientôt, Valérie et moi, on va faire l'amour. On en a parlé et cela n'est plus qu'une question de jours… Comme je n'ai pas envie d'être père et que j'ai encore moins envie d'avoir l'air d'un twit, j'ai acheté une belle boîte de super condoms lubrifiés au spermicide. Ce soir, je me promets une petite séance d'essayage, tout seul dans ma chambre. Comme ça, quand viendra le temps de les utiliser avec ma belle, je n'aurai pas l'air d'un débutant. Je serai déjà assez énervé comme ça. Le stress de la première fois me suffit. Je vais donc m'épargner le stress du premier condom[8] !

La « déroulade » avant les roulades

1. Déchirer l'emballage avec les doigts. Pas de ciseaux ni de canif!

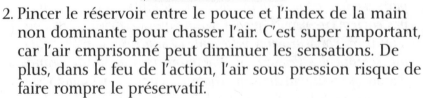

2. Pincer le réservoir entre le pouce et l'index de la main non dominante pour chasser l'air. C'est super important, car l'air emprisonné peut diminuer les sensations. De plus, dans le feu de l'action, l'air sous pression risque de faire rompre le préservatif.

3. En maintenant le bout du condom dans la main non dominante, dérouler avec la «bonne» main le condom, du gland jusqu'à la base du pénis

4. Se retirer aussitôt après l'éjaculation, quand le pénis est encore ferme, en retenant solidement la base du condom. Cela, pour empêcher l'écoulement du sperme.

L'angoisse de ne pas être à la hauteur?

Elle a beau être fréquente, elle est bien embêtante cette anxiété de performance, cette obsession d'être à la hauteur. Mais à la hauteur de qui? de quoi? Des play-boys et des symboles sexuels du cinéma? Des acteurs de films pornos ou des romans à l'eau de rose dont plusieurs se sont inspirés? Oublions cela, c'est de la comédie. Dans la vie, la sexualité n'est ni une performance acrobatique ni une gymnastique génitale. Heureusement, quelle platitude ce serait alors! Dans un vrai lit, une fille ne tombe pas en pâmoison en voyant le *bobineau* de son homme, elle ne grimpe pas dans les rideaux, ne pousse pas des hurlements de jouissance à réveiller les morts. Elle a rarement des orgasmes par la pénétration. Dans un vrai lit, un garçon ne détient pas un machin surnaturel entre ses jambes; il a un vrai corps et un vrai pénis qui s'émeut, qui bande et débande, qui arrose parfois à l'improviste. Il n'est pas une machine distributrice d'orgasmes. Ce sont des êtres humains, charmants, touchants et défaillants.

Lors des premières relations sexuelles dites «complètes», il est naturel que la gêne et l'émotion fassent perdre au garçon ses moyens. Il est normal que la fille ressente moins de plaisir qu'elle ne se l'était imaginé. La joie d'être ensemble, la satisfaction de partager son intimité, c'est déjà beaucoup. Le meilleur est à venir, et viendra, si d'une fois à l'autre on se donne le temps et les moyens (condoms en quantité) de recommencer. Et si on se parle.

«Ah! Non. Pas encore parler!, vas-tu penser. C'est plus le temps de parler quand on baise. C'est le temps d'agir!» Ouais… Mais une fille est une fille: elle ne peut pas deviner tes sensations, tes désirs, tes préférences. Un garçon est un garçon: il ne sait pas d'instinct tes attentes, tes rythmes et les caresses que tu souhaites. Il n'y a pas 56000 façons de savoir, il y en a une: se le dire.

La première fois émeut: c'est une découverte de l'autre, de soi avec l'autre. Elle sert de leçon pour la deuxième, la deuxième pour la troisième, et cette dernière pour la suivante. Et cela, sans fin…

À TOI DE JOUER!

Sept questions préliminaires aux préliminaires érotiques

1) Est-ce avec lui ou avec elle que j'ai envie de vivre ma «première fois»?

2) Suis-je vraiment décidé à vivre cette expérience sexuelle maintenant?

3) Sinon, pourquoi ai-je décidé de le faire, pour qui?

4) Est-ce que je me sens important-e à ses yeux?

5) Qu'est-ce que je ressens pour lui ou pour elle?

6) Avons-nous pensé ensemble au lieu, au temps (celui que nous aurons, pas celui qu'il fera dehors), au moyen d'éviter une grossesse et une MTS?

7) À quoi est-ce que je m'attends?

Réponses : Les bonnes réponses, ce sont les tiennes. Si ton choix et ta décision sont libres et nets, si c'est ton désir qui guide ta conduite, plutôt que le sien ou celui des autres, si tu assumes la responsabilité de tes choix, tu cours la chance de te sentir bien pendant et après…

Si jamais, comme Sylvie, au début de ce chapitre, tu es sur le point de «te faire avoir» ou de perdre la boule, tu n'auras évidemment ni le temps ni la lucidité de te poser ces sept questions. Alors, si tu tâchais de te souvenir au moins de celle-ci : Ai-je vraiment envie de vivre (de subir?) cette expérience sexuelle maintenant?

57

CHAPITRE 5

LA MÉTHODE COCO EN 3 LEÇONS !

1-MASSAGES

2-BAISERS, SUCETTES

3-CARESSES PARTOUT-PARTOUT !

JE *CONTRACEPTE,*
TU *CONTRACEPTES,*
IL S'EN FOUT !

CLIN D'ŒIL DE TES PÉPÉS ET MÉMÉS

Il y a près de 2 000 ans, Soranos, considéré comme le plus grand gynécologue de l'Antiquité, recommandait aux femmes de boire de l'eau et d'éternuer pour empêcher une grossesse. Aetius (502–575), dans le même but, proposait aux hommes de boire, dans une tisane de feuilles de saule, les testicules brûlés d'un mulet. Au début de l'ère chrétienne, des Romaines ont mangé des crottes de souris, d'éléphant ou

de crocodile, tandis que des Indiennes se gavaient de vieille mélasse pour ne pas devenir enceintes. En Chine, les femmes avalaient des potions de sangsue et en Afrique, des infusions de poudre de fusil pendant qu'en Iran, elles exécutaient entre sept et neuf petits sauts arrière, toujours pour éviter une grossesse. Quant aux hommes japonais, ils se casquaient gentiment le gland d'écailles de tortue pour éviter de féconder leurs amantes[9]? Ouch! Plutôt sympathiques les pilules et les condoms pour prévenir les grossesses, non?

C'était à l'ère jurassique, penses-tu. Eh bien, je lisais récemment dans le journal *La Presse*[10] que des adolescentes britanniques sont persuadées qu'il suffit de fermer les yeux pendant l'amour pour ne pas devenir enceinte. S'asseoir sur un annuaire téléphonique, boire du lait pendant les ébats érotiques ou sauter en l'air après s'être envoyé en l'air figurent parmi les croyances les plus répandues en matière de contraception chez les jeunes Anglais! Voilà ce qu'indique cette étude sérieuse réalisée auprès de 2 200 médecins en l'an 2001. Tu penses que c'est bien différent chez nous? «Est-ce que je peux devenir enceinte si je n'ai pas eu d'orgasme? Est-ce que je peux devenir enceinte si on fait l'amour debout? Est-ce que l'on peut devenir enceinte la première fois qu'on fait l'amour?» sont autant de questions que j'entends encore bien trop souvent à mon goût. Et en passant, toutes les réponses sont OUI.

Je faisais l'amour si peu souvent… Je me disais qu'il n'y avait pas grands risques.
Ève, 14 ans et enceinte

Il me disait de lui faire confiance, qu'il n'y avait pas de danger, qu'il était capable de se contrôler, qu'il éjaculerait à l'extérieur…
Jessica, 15 ans et enceinte

On avait un seul condom et il s'est déchiré.
Antoine, 17 ans, dont la copine est enceinte

Tu comprends, j'ai beau ne pas vouloir te servir le répertoire des méthodes contraceptives dont il existe toute une panoplie, je vais quand même t'en glisser un mot ou deux. Je m'attarderai juste sur le trio contraceptif que j'estime le plus compatible avec les besoins des jeunes: le **co**ndom, le **co**ntraceptif oral (pilule) et, le 3ᵉ mais non le moindre, la délicieuse méthode **coco**…

UN TRI-CO GAGNANT POUR DUOS ARDENTS

L'inCOntournable COndom

Le condom ou préservatif est une enveloppe de latex qu'on déroule sur le pénis en érection. Bien utilisée, cette méthode s'avère très efficace. À condition que le condom soit manipulé avec précaution pour ne pas qu'il déchire et que le pénis en soit revêtu avant tout contact avec la vulve.

Ses avantages : accessible, sécuritaire à environ 95 p. 100, peu coûteux si on l'achète en quantité, il protège aussi des maladies sans affecter le cycle menstruel. Le condom de confiance est donc en latex, sa date de péremption n'est pas expirée et il est prélubrifié avec du nonoxynol (c'est écrit sur la boîte). Ça serait nono de s'en passer (ça devrait être écrit sur la boîte !).

Son principal atout: plusieurs garçons affirment qu'il leur permet de conserver leur érection plus longtemps et d'éjaculer moins vite. Des filles déclarent qu'avec le condom, leur partenaire part moins à l'épouvante, qu'elles ont le temps de prendre du plaisir, car elles sont plus détendues. Proposer le condom en même temps que la relation sexuelle, c'est le top de la séduction.

Comme le condom n'est pas réutilisable, il est toujours sage d'en avoir plusieurs en réserve. Ça donne l'occasion de recommencer... Une idée: pourquoi ne pas en demander une caisse comme cadeau d'anniversaire ou de graduation? Embarrassant? Tu te demandes quel argument convaincrait tes parents? En voici un, assez persuasif: «Ça va m'aider dans mes études!»

Sa devise: «J'étire le plaisir.»

Le COntraCeptif Oral

Communément appelé «la pilule», cette méthode contraceptive qui empêche l'ovulation nécessite une ordonnance médicale.

Ses avantages: la pilule est appropriée pour les couples stables et sexuellement exclusifs, car elle ne protège aucunement des MTS. Elle est efficace à environ 98 p. 100.

Le fait de devoir prendre les comprimés quotidiennement nécessite cependant un minimum de discipline et de maturité. Plusieurs filles combinent pilule et condom. Souvent, elles ont commencé la pilule alors qu'elles vivaient une relation amoureuse exclusive et continuent de la prendre après la rupture, tout en proposant le condom à leur nouvel amant...

Sa devise: «J'exige la fidélité.»

La méthode COCO (COntacts érotiques non COïtaux)

Je préfère parler de communication érotique non coïtale plutôt que de continence. La continence, synonyme de chasteté, sous-entend un refus du plaisir charnel et les jeunes qui optent pour ce choix sont plutôt rares. Pris au pied de la lettre, le mot abstinence serait assez approprié puisqu'il renvoie à l'idée de s'abstenir de certaines activités, mais une forte connotation religieuse et de «manque» s'y rattache. Tes grands-parents pourraient t'en dire davantage. L'abstention serait peut-être le terme approprié pour cette méthode contraceptive qui consiste à privilégier certaines activités érotiques, à partager des jeux sexuels sans pénétration. Je craque pour l'appellation *coco* qui laisse présager des cris de joie et des cocoricos...

La méthode coco que je te propose consiste donc à remplacer la pénétration vaginale par des caresses, massages, baisers, sucettes, pirouettes et galipettes qui procurent plaisirs et orgasmes sans risquer de provoquer une grossesse. Pas question de renoncer aux jeux érotiques pénien, clitoridien ou vaginal! Bien au contraire, cela permet justement d'apprendre à se servir de ses mains et de ses doigts, de sa bouche, de ses lèvres et de sa langue, de ses cheveux, de ses orteils et de tout son épiderme pour attiser et combler le désir sexuel et génital.

Ses avantages: la méthode coco est efficace à 100 p.100 et comporte peu de risques de contracter une MTS; entièrement gratuite et sans effets secondaires, elle donne lieu à un partage érotique généreux, non limitatif, axé sur le plaisir et la communication.

Son principal atout: la coco est une technique infiniment distrayante, elle permet de devenir un crack en érotisme, de

développer un savoir-faire incomparable en la matière. Non contraignante, elle autorise les amants à se découvrir, à s'amuser, à mettre le doigt sur ce qui procure du plaisir, à connaître son propre corps et ses propres réactions, tout en apprivoisant le corps et les réactions du partenaire.

«Sans condom, c'est non!» disait une publicité il y a quelques années. Comme si l'amour ne se conjuguait que dans la rencontre pénis-vagin!

Sa devise: «Sans condom, c'est coco mon coco!»

PENSE-BÊTE, PENSE-FÊTE

- Lors de l'intimité coïtale, le retrait du pénis avant l'éjaculation n'est pas un moyen de contraception.

- La douche vaginale non plus; les jets d'eau, au contraire, propulsent les spermatozoïdes vers l'utérus.

- Éjaculer près de la vulve est très risqué : les spermatozoïdes sont des maîtres nageurs et l'ovule est bien hospitalier.

- Surtout au cours des cinq années qui suivent la puberté, il ne faut pas se fier à son cycle menstruel comme moyen de contraception.

- À partir de 14 ans, une consultation médicale est confidentielle.

LA PILULE DU LENDEMAIN QUI DÉCHANTE

C'est une solution d'urgence parfois désignée comme «contraception postcoïtale» à laquelle on recourt après un rapport coïtal non protégé. La pilule du lendemain est composée d'hormones qui ont pour effet de bloquer l'ovulation ou de rendre l'utérus inapte à recevoir l'ovule fécondé. Elle doit être prise dans les 72 heures suivant le moment où on a perdu la boule et dans les cas de déchirures du condom. Ce n'est pas une méthode de contraception courante, le dosage hormonal qu'elle contient étant élevé.

Tu peux te procurer la pilule de lendemain dans une clinique externe ou de planning, dans une clinique jeunesse, au CLSC, chez le médecin ou auprès de l'infirmière de ton école.

VIVE LE PARTAGE : ÉROTIQUE ET CONTRACEPTIF !

Les garçons en âge de féconder et les filles en âge d'être fécondées ont une responsabilité concernant la contraception. Si tu fais partie de ceux et celles qui prévoient vivre des rapprochements hétérosexuels avec pénétration et que tu n'as pas l'âge mental d'un enfant de 10 ans, tu n'as pas d'autre choix que de te responsabiliser. Un grand nombre d'adolescents esquivent le sujet de la contraception. Timidité? Malaise? Tentation de s'en remettre à l'autre? Toutes ces raisons et bien d'autres encore sont à l'origine de ce silence.

Si je commence à parler de contraception ou de prévention à une fille avec qui je veux faire l'amour, ça finit toujours qu'on ne le fait pas. Alors que si je ne dis rien, que je commence à l'embrasser, à la caresser, j'ai bien plus de chances que ça marche...[11]»

Jérémie, 16 ans

Eh bien, cher Jérémie, tu pourrais joindre l'utile à l'agréable. L'embrasser, oui. La caresser, oui, oui. Puis te comporter comme un vrai mâle et exhiber fièrement ton... condom. Rien de plus alléchant qu'un gars qui a un pénis fringant, une tête sur les épaules, un cœur dans la poitrine et... un condom à la main!

UN EXAMEN RÉUSSI SANS EFFORT

Tu rêves de réussir un examen sans avoir à étudier? Fais-toi ce plaisir...

L'examen gynécologique

Sauf si des conditions de santé l'exigent, le médecin ne fait pas d'examen vaginal interne à l'adolescente qui consulte pour obtenir la pilule lorsque celle-ci n'a jamais eu de rapport sexuel avec pénétration. Tu aurais donc bien tort de ne pas aller consulter si tu redoutes cet examen! Dans les cliniques jeunesse et chez les médecins qui pratiquent auprès des jeunes, la tendance est de prescrire la pilule pour une période de quelques mois et de revoir la patiente après ce délai. Elle pourra alors passer l'examen gynécologique complet, lequel dure quelques minutes et se déroule dans la position semi-assise ou allongée. Le médecin palpe l'abdomen pour vérifier les ovaires et l'utérus. S'il y a examen interne, il se sert d'un spéculum, instrument ayant la forme d'un bec de canard, pour écarter les parois vaginales. Lorsque la fille est détendue, cette «épreuve» ne cause aucune douleur mais, comme il n'est pas habituel d'exposer ses organes génitaux, c'est parfois un tantinet intimidant. Voilà pourquoi il est judicieux de choisir un médecin, femme ou homme, en qui tu as confiance et qui a l'expérience d'une clientèle adolescente.

Résultat: la fille est rassurée, elle a la confirmation d'être normale sous toutes ses coutures.

L'examen andrologique ou urogénital

À moins d'y être obligés, peu de garçons se prévalent de cet examen. Dommage. Certains gagneraient à se faire rassurer quant à la normalité de leurs attributs sexuels…

L'examen andrologique consiste à examiner les testicules, le pénis et parfois la prostate par un toucher rectal. Agaçant, mais absolument sans douleur.

Résultat: On se sent normal. On a réussi l'examen!

FONDER UNE FAMILLE À 15 ANS OU VIVRE PLEINEMENT SA VIE?

Avoir un bébé à 15 ans, c'est emprunter un raccourci tortueux sur le parcours vers l'âge adulte. L'adolescence, c'est beaucoup plus qu'une étape. C'est un mode de vie difficilement compatible avec les tâches et fonctions de la maternité et de la paternité. Comment assumer l'exigeante responsabilité d'assurer le développement et la sécurité physique, affective, psychologique et matérielle d'un enfant quand on a tant à vivre, à

apprendre, à expérimenter soi-même? Plus de la moitié des filles qui poursuivent une grossesse abandonnent l'école; 86 p. 100 des jeunes mères sont monoparentales et la majorité d'entre elles dépendent de l'aide sociale. Pourquoi est-ce si difficile? Tu n'as qu'à zieuter l'agenda journalier d'une mère adolescente[12] pour constater qu'avoir un bébé, ça change pas le monde mais ça change une vie! Que celles qui, comme Marlène, France, ou Rébecca songent: «Je ne détesterais pas avoir un petit bébé bien à moi…» lisent attentivement l'infernal double horaire qui suit.

Une journée dans la vie de Rébecca et de bébé.

Un jour dans la vie de bébé	**Un jour dans la vie d'une mère adolescente**
5 h 45 Bébé se réveille, il a faim.	**5 h 45** J'ai besoin de dormir…
7 h 30 Bébé baigne dans son caca.	**7 h 30** J'ai des notes à réviser pour l'examen de français.
8 h 45 Bébé est tombé, il hurle. Il faut le soigner, le consoler. C'est l'heure de conduire bébé chez la gardienne.	**8 h 45** Je n'ai pas eu le temps de manger ni d'étudier et je devrais être rendue à l'école! Mon cours commence dans 20 minutes!
10 h 30 La gardienne a une urgence, il faut aller chercher bébé.	**10 h 30** J'ai raté mon premier cours, je viens d'entrer dans ma classe de bio et je dois déjà m'en aller.
13 h 00 Retour à la maison avec bébé.	**13 h 00** Il faut faire manger bébé, changer sa couche. Pas de gardienne, je ne peux pas retourner à l'école, j'ai raté mon examen de français, j'ai faim ; je n'ai pas eu le temps de téléphoner à Sylvain que je n'ai pas vu depuis trois siècles…
14 h 30 Sieste de bébé.	**14 h 30** Ouf! Arriverai-je à ramasser le bordel, à manger, à planifier le souper de bébé, à l'amener prendre l'air, à récupérer ma journée d'école perdue? Ah non! Il n'y a plus de lait!
15 h 30 Bébé se réveille et veut jouer.	**15 h 30** Je dors debout. Il faut habiller bébé, aller à l'épicerie.
16 h 45 Retour à la maison.	**16 h 45** J'ai oublié d'acheter des couches. Les copains sont rentrés

de l'école à cette heure et regardent la télé. Moi, je viens de m'apercevoir dans le miroir: j'ai l'air d'avoir 102 ans.

17 h 30 Souper de bébé.

17 h 30 Je rêve que maman me donne la tétée.

18 h 30 Bain de bébé.

18 h 30 Et moi? Qui me donnera mon bain?

20 h 00 Coucher de bébé.

20 h 00 Je chante une berceuse; les copains font du rock à la maison des jeunes. Julie m'avait invitée à aller voir un film chez elle pour me changer les idées. Stef est probablement au tennis et Véronique en train d'étudier dans sa chambre.

23 h 00 Bébé pleure: il faut le consoler, lui donner sa sucette.

23 h 00 Je me suis écroulée de sommeil dans mon bol de nouilles. Je pleure, moi aussi. Faire du lavage, laver la vaisselle, ranger les jouets… Je dois planifier la journée de demain: surtout ne pas manquer mes cours, préparer mes effets scolaires et le sac de bébé, l'amener chez la gardienne, ne pas oublier d'acheter des couches. Ah oui, bébé a son rendez-vous chez le médecin jeudi! Je n'y arriverai jamais!

À moins d'être une *superwoman*, c'est un tour de force de concilier l'horaire d'un bébé avec une vie normale d'adolescente. Si tu as, toi, le sentiment que tu y parviendrais aisément, c'est probablement parce que tu es riche, que tu as une bonne et un chauffeur et que tu es très bien entourée. Bref, que tu es une ado fortunée de… 32 ans!

À TOI DE JOUER!

Cocorico!

1) La méthode coco, c'est:
   a) Une technique de reproduction des poulets ❑
   b) Un procédé de fabrication d'œufs de Pâques ❑
   c) Un délicieux moyen de prévenir les grossesses ❑

2) Le Tri-co représente:
   a) Un vêtement artisanal pour «griches» frileuses ❑
   b) Les trois méthodes contraceptives les plus
   adéquates pour les jeunes ❑
   c) Une MTS de *prep* ❑

3) Le rapport pénis–vagin sans contraception
   donne:
   a) Des boutons ❑
   b) Des poupons ❑
   c) Des «condylons» ❑

Réponses: Je ne te donne pas les solutions. Si tu doutes d'avoir toutes les bonnes réponses, apprends ce chapitre par cœur…

CHAPITRE 6

JE ME PROTÈGE, TU TE PROTÈGES OU ON SE SOIGNE?

Voilà la question : ou tu te protèges ou tu cours le risque, minimal, de te soigner. «Encore un discours sur les MTS!» vas-tu dire en maugréant. Non. Je ne les énumérerai même pas*. Je me contenterai ici de faire un bref rappel des affections les plus courantes que l'on retrouve dans ton groupe d'âge et sur l'ingéniosité dont tu peux faire preuve pour leur échapper. Les maladies sexuellement transmissibles sont fréquentes ; elles courent, elles courent ces

---

*Tu trouveras néanmoins une nomenclature des maux sexuels intégrée au chapitre 12.

maladies d'amour. Par chance, bon nombre d'entre elles sont aussi faciles à guérir qu'à attraper. Toutefois, certaines ont des conséquences très graves sur la santé. On ne peut donc pas se moquer de ces microbes qui, eux, se fichent bien de nous.

Les microbes, germes, virus ou bactéries n'ont aucun juge-ment. Ils se balancent éperdument que tu sois en amour par-dessus la tête avec ton partenaire ; ils ne distinguent pas les rencontres d'un soir des amours stables ; ils ne se demandent pas si tu es hétérosexuel ou homosexuel ; ils n'ont rien à se branler que tu aies ou non un orgasme. Le micro-organisme est un squatter. Tout ce qui l'intéresse, c'est de trouver un gîte chaud et humide où s'incruster. S'il croise ton chemin, sois certain qu'il emménagera chez toi sans plus d'invitation.

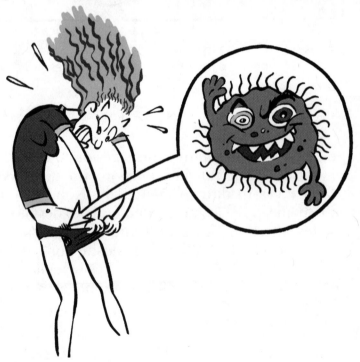

LA PENSÉE MAGIQUE NE FAIT PAS DE MAGIE

Le sida, c'est pas pour moi : je me pique pas et j'suis pas gay!

Foutaise! On ne sait rien du beau Brummel ou de la super nana qui nous fait basculer le cœur ou le sexe, un soir de pleine lune. Le sida, comme toutes les autres MTS, frappe à l'aveugle, n'importe où et n'importe qui : ton voisin, gai ou triste, ta grand-mère, ton meilleur ami ou toi-même.

Faut bien mourir de quelque chose…

C'est vrai. Mais, ça ne te tenterait pas de mourir vieux et joyeux, sans trop de douleurs, en fêtant ta 10000ᵉ relation sexuelle avec ta blonde de 82 ans?

Je suis fidèle. Je ne cours aucun risque.

Oh yeah? Et tu as été fidèle à combien de partenaires cette année? Et tes deux ou trois dernières flammes, que sais-tu de leur fidélité?

FACTEURS DE MALHEURS

C'est simple, le risque de contracter une MTS est proportionnel au nombre de partenaires sexuels que l'on a. Si tu n'as qu'un seul partenaire et que celui-ci en a une ribambelle, le danger est presque aussi élevé.

Certaines activités sexuelles sont plus à risques que d'autres : la pénétration, anale ou vaginale, est plus risquée que la sexualité orale génitale, la relation orale génitale est plus risquée que les caresses manuelles réciproques, le duo érotique est plus risqué que le solo…

En dehors du lien érotique dans un couple exclusif, pour toute forme de pénétration, le mieux est de faire appel au meilleur ami de l'homme et de la femme, le condom. Si tu as eu un comportement à risques, consulte sans délai. Et au pas de course si apparaissent des symptômes inhabituels.

QUELS SONT CES SYMPTÔMES ?

Ça pique ;
Ça brûle ;
Ça coule ;
Ça sent pas les roses ;
Ça fait des bobos ;
Ça fait mal lors du contact sexuel génital ;
Ça fait mal à la gorge (si l'infection est orale).

Certaines maladies, notamment la chlamydia, qui raffole des ados, sont souvent asymptomatiques. D'où l'importance d'informer ton ou tes partenaires lorsque tu es le malheureux élu de l'une d'entre elles. Toutes les MTS, même les plus bénignes, doivent être traitées. Par exemple, les condylomes ou verrues génitales, qui ne sont pas graves en elles-mêmes, sont associées au cancer du col de l'utérus.

Les vaginites n'ont de joli que le nom : gardnerella, trichomonas, candida… La plupart du temps sans gravité, elles sont drôlement incommodantes. Pour déjouer certaines de ces malvenues, rappelle-toi que les doigts qui ont été en contact avec l'anus, le tien ou celui de ton chéri, ne doivent pas cabrioler dans le vagin avant d'avoir subi un bon lavage. Et cela vaut pour les vingt doigts, c'est-à-dire pour les menottes des deux tourtereaux.

LE CONDOM: POUR LES BTS ET CONTRE LES MTS

Eh oui, le condom est un agent de propagation des Bonheurs Transmissibles Sexuellement. Il étire la vie et le plaisir. Les *casseux de party*, ce sont:
- les maladies et les bibittes;
- ceux qui veulent te faire croire que le préservatif sabote le plaisir.

Lui: *J'aime pas ça avec un condom. T'as donc pas confiance en moi...?*

Elle: *Fais-moi confiance que tu vas aimer ça. Viens que je te le débobine sur le bobineau, tu vas voir que c'est* full *capotant...*

77

Lui : *Allez…, au moins une fois sans condom, j'vais faire attention.*

Elle : *OK. Toutes les caresses du monde, mais pas de pénétration.*

Elle : *Ayoye! C'est bien la première fois que je rencontre un gars qui rouspète pas sur le condom!*

Lui : *Faut être fou pour rechigner sur une bandaison qui ne fait pas faux bond.*

À TOI DE JOUER!

Questionnaire malade pour jeunes en santé...[13]

1) Un moyen efficace de prévenir les MTS consiste à :
   a) Se jeter dans un bain bouillant après l'amour ; ❏
   b) Examiner à la loupe le sexe de son partenaire avant ; ❏
   c) Utiliser joyeusement le condom ; ❏
   d) Visualiser dans sa tête qu'on a un condom même si on n'en a pas ; ❏
   e) Ne jamais s'asseoir sur une poignée de porte ou toucher à un siège de toilette. ❏

2) Quand on a une MTS :
   a) On le sait toujours, on le sent ; ❏

b) On ne le sait jamais; ❑
c) On ne le sait pas toujours; ❑
d) On ne veut rien savoir; ❑
e) On le sait–tu, nous autres! ❑

3) Quelqu'un qui a une MTS et qui ne prévient
pas son, sa ou ses partenaires, c'est:
a) Un amnésique; ❑
b) Un muet; ❑
c) Un danger public; ❑
d) Un disciple d'Éros; ❑
e) Un optimiste. ❑

4) Une urétrite et une cervicite sont:
a) Un aphrodisiaque et une MTS du
chevreuil; ❑
b) Des prostituées d'une autre planète; ❑
c) Une infection de l'urètre ou du col de
l'utérus; ❑
d) Des perversions sexuelles; ❑
e) Des marques de condoms pour femmes. ❑

5) Le mot sida représente:
a) Un acronyme pour **S**exualité **i**mmorale,
dangereuse et **a**normale; ❑
b) Une maladie de gays, de drogués et
d'Africains; ❑
c) Une MTS grave, de plus en plus fréquente
dans toute la population, en hausse chez
les jeunes et dont on guérit pas; ❑

d) Une maladie inventée pour nous empêcher de vivre notre sexualité ; ❑

e) Un acronyme anglo-saxon de **S**ex **i**llness **d**isaster **a**board. ❑

Réponses : Toutes les bonnes réponses se retrouvent, soit à l'intérieur de ce chapitre, soit au chapitre 12, soit quelque part dans ce livre… Amuse-toi !

80

CHAPITRE 7

J'AIME LES GARS, TU AIMES LES FILLES, IL SE CHERCHE

L'être humain est un mystérieux alliage de féminin et de masculin, diversement dosé d'une personne à l'autre. La nature, le milieu social et familial, les modèles, le contexte culturel qui est le tien, l'éducation que tu as reçue, tout cela et plus encore ont fait de toi un garçon ou une fille attiré par les personnes de ton sexe ou de l'autre sexe. C'est souvent au moment de l'adolescence que l'orientation sexuelle se précise: hétérosexuelle, homosexuelle ou, plus rarement, bisexuelle. Plusieurs filles et garçons ont eu, un jour ou l'autre, des rêveries homosexuelles ou des jeux érotiques avec des amis de leur sexe. Ces expériences ne fixent pas l'orientation homosexuelle. L'homosexuel est celui ou celle qui se sent exclusivement attiré par les personnes de son sexe.

Lorsqu'on a 13, 15 ou 17 ans, que l'on est un garçon attiré par les garçons ou une fille attirée par les filles, on est inquiet : qu'est-ce qui m'arrive ? Est-ce provisoire ?

L'inquiétude de Chloé

J'ai rêvé que j'embrassais et caressais Maude. Je ne veux plus que ça arrive. Je ne veux surtout pas me rappeler que dans mon rêve, j'aimais ça. Est-ce que j'en aurais envie pour de vrai ? Je veux aimer les garçons. D'ailleurs, j'aime bien Marc, je m'entends bien avec lui. Mais je n'ai jamais envie de l'embrasser. Je ne veux pas être lesbienne. Je déteste ce mot. Si mon père savait que je rêve des filles, il ferait une syncope. Et ma mère ne s'en remettrait pas. Mon Dieu ! Il faut que je change. Faites que je ne sois pas homosexuelle !

DROITIER, GAUCHER OU... MÉLANGÉ[14]

Environ 10 p. 100 des individus sont gauchers. Ils s'orientent dans l'espace, appréhendent leur environnement, développent leur adresse à partir de leur «aile» gauche. Ils doivent continuellement s'adapter au monde des droitiers dans lequel ils vivent, s'efforcer d'y évoluer harmonieusement avec cette différence. Il en va de même pour les personnes (10 à 12 p. 100 de la population) dont l'intérêt érotique va vers les êtres de leur sexe: ils doivent s'intégrer à un monde majoritairement constitué d'hétérosexuels.

Autrefois, on tentait désespérément, à coups de bâton sur les doigts, de transformer les gauchers en droitiers. Il fut un temps aussi où la société ostracisait les homosexuels, où les thérapeutes et spécialistes s'évertuaient à les convertir à l'hétérosexualité. Inutile.

LA DIFFÉRENCE QUI DÉRANGE

Bien souvent, les gens qui ne nous ressemblent pas nous dérangent. Dans tous les domaines, les minorités bousculent les valeurs de la majorité, mettent en doute leurs normes et leurs rôles.

Nous acceptons qu'un homme et une femme se fassent des avances sexuelles, respectueuses et consenties. Plusieurs ont cependant des réserves à accueillir l'expression érotique entre personnes du même sexe. Les adolescents, parce qu'ils sont à un carrefour de leur vie où leur propre orientation sexuelle se confirme et parce qu'ils traversent une période de turbulence psychologique et affective, sont souvent plus chatouilleux encore à l'égard de l'homosexualité. Les jeunes

83

gays sont ainsi fréquemment la cible de propos blessants et homophobes de la part de leurs camarades de classe sans que quiconque n'intervienne. Certains s'en tirent, d'autres, plus vulnérables, sombrent dans le désespoir.

Nicolas, dit «le fif», était depuis des années victime des railleries et de la méchanceté des garçons de son école. Élève modèle, il ne se plaignait jamais. Un jour, alors que sa classe passait à côté de la piscine, des garçons le jetèrent à l'eau, tout habillé. Tout le monde, y compris le professeur, rit un bon coup. Pour Nicolas, humilié et désemparé, ce fut, c'est le cas de le dire, la goutte qui fit déborder le vase. Le lendemain, il s'est jeté du haut du pont de chemin de fer qui traversait son village[15].

Non seulement il est inacceptable qu'un jeune en arrive là, mais il est inadmissible que :

- des jeunes comme toi contribuent, par leurs remarques et agressions, à pousser un être humain à une telle détresse ;

- des jeunes comme toi n'interviennent pas pour freiner l'ardeur des persécuteurs homophobes.

Depuis une dizaine d'années, une avalanche d'études ont sonné l'alarme: entre 30 et 40 p. 100 des jeunes qui se sont découvert une orientation sexuelle différente de la norme hétérosexuelle ont fait au moins une tentative de suicide. La cause principale: la difficulté d'accepter leur homosexualité dans un milieu hostile et rejetant.

LE *COMING OUT*: «PAPA, MAMAN, J'AI QUELQUE CHOSE À VOUS DIRE...»

Tu te poses des questions? Tu te sais attiré par les personnes de ton sexe? Tu te demandes quand, comment, à qui en parler? D'abord, à quelqu'un qui t'accepte inconditionnellement, avec laquelle tu te sens bien. Si cela n'est pas possible, tu peux t'adresser à un organisme qui t'aidera dans ta démarche[*].

Quand en parler à tes parents? Au moment où tu te sentiras assez solide pour faire face à leurs réactions.

Je ne peux pas en parler à ma famille. Déjà que mon père réagit très violemment quand il est question d'homosexualité à la télé...

Yannick, 15 ans

Mes copains et copines ont l'air bien cool comme ça, mais j'ai peur qu'ils réagissent différemment en sachant qu'il s'agit de moi...

Marie-Soleil, 14 ans

*Voir chapitre 13.

Il n'existe pas de mode d'emploi pour réussir un *coming out*. À tout le moins faut-il prendre le temps de sonder son entourage, ne pas se précipiter. L'annonce au cours d'un repas qui réunit toute la famille n'est pas forcément le meilleur moment. Il peut être souhaitable de repérer, parmi ses proches, une personne de confiance qui sera la première à recevoir la confidence. Cela sert de répétition générale et permet d'avoir un allié au moment de la révélation à la famille.

Accepter son homosexualité ne se fait pas toujours sans vagues ni tiraillements. Généralement, chacun chemine, à son rythme, dans sa capacité d'accepter. Si ce chemin est difficile à parcourir pour le jeune, on peut comprendre qu'il en soit de même pour les parents. Eux aussi devront franchir, à leur rythme, la distance qui les conduira du déni à la culpabilité, de la tristesse à la compréhension, puis à l'acceptation. Eux aussi ont besoin de temps.

La plupart des parents que j'ai rencontrés, qui ont eu à composer avec l'homosexualité de leur enfant, affirment que leur souffrance était moins liée à l'orientation sexuelle qu'aux difficultés supplémentaires auxquelles leur enfant serait soumis en raison de cette orientation. «C'est déjà un exploit de tirer son épingle du jeu dans ce monde de requins, me dit un père, mon enfant va devoir en plus se faire écœurer à cause de son orientation sexuelle!»

Quels sont les causes et les remèdes à l'homosexualité? me demandent souvent des adolescents. Comme je le disais au début de ce chapitre, l'être humain se façonne et se définit à partir de l'image qu'il a de lui-même, de son identité corporelle, de l'éducation qu'il a reçue, des modèles significatifs autour de lui et de ceux que lui propose la société, de son apprentissage… Mais comme aucun de ces facteurs n'explique l'orientation sexuelle, les causes étant purement hypothétiques, il serait vain de tenter de détourner un être humain de son orientation érotique. Alors, lorsque tu auras acquis la certitude d'être homosexuel-le, lorsque tu auras constaté un intérêt érotique prolongé pour ceux ou celles de ton sexe, tu n'auras d'autre choix que de l'accepter, avec les difficultés que cela comporte ou de te renier et de te rendre malheureux. Il n'y a pas de troisième voie. Et tu as la même démarche à faire à l'égard de tes camarades ou parents homosexuels.

Tous les êtres humains ont droit au respect, au plaisir, à l'amour. Tous les êtres humains ont une capacité de bonheur et d'accomplissement. Dans la société dans laquelle nous évoluons, les gays doivent lutter un peu plus fort pour y arriver.

À TOI DE JOUER!

Moi, homophobe?
1) Un camarade m'avoue son homosexualité:
   a) je l'évite désormais de peur qu'il ou elle ne me saute dessus; ❏
   b) je ne change rien, quelle que soit son orientation sexuelle, il ou elle mérite mon amitié; ❏
   c) je le dis à toute la bande pour qu'on s'en méfie; ❏

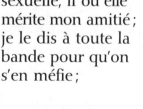

d) Je lui dis que ça
ne me surprend pas,
puisqu'il y a déjà des gays dans sa
famille. ❑

2) Je suis un garçon et un camarade de classe
que tout le monde traite de «fif» me propose
de faire équipe avec lui dans un cours
d'éducation sexuelle : ❑
a) Je refuse de crainte de passer pour un gay ; ❑
b) J'accepte, prêt à remettre à leur place les
imbéciles qui me diront des niaiseries ; ❑
c) Je m'en tire en prétextant la promesse de
faire équipe avec quelqu'un d'autre ; ❑
d) J'ai très peur qu'il veuille entreprendre
des travaux pratiques avec moi. ❑

3) Je suis une fille et ma *best* me confie qu'elle se
croit amoureuse de moi : ❑
a) Je lui conseille de me lâcher les baskets et
d'aller vite se faire soigner ; ❑
b) Je lui dis qu'elle est virée sur le *top*, qu'elle
lit trop, qu'elle va trop au cinéma ; ❑
c) Je la comprends : personne ne me résiste,
tout l'univers est fou de moi ; ❑
d) Je l'écoute sans la juger et l'assure de mon amitié,
même si je ne partage pas son sentiment amoureux. ❑

4) Je préférerais :
a) Me faire enfermer dans une maison de fous
plutôt que d'être gay ; ❑

b) Me faire couper les deux bras plutôt que
d'être homosexuel–le ; ❏

c) Être un chimpanzé en Sibérie plutôt
qu'homosexuel–le dans mon pays ; ❏

d) Avoir tous mes membres et toute ma tête,
et être, moi–même, homosexuel–le ou
hétérosexuel–le. ❏

5) Un garçon de la classe, sensible et différent,
se fait régulièrement insulter, malmener par
ma bande de copains :

a) Je ne m'en mêle pas, ce n'est pas mon
problème ; ❏

b) Je l'embête moi aussi, par solidarité avec
ma gang ; ❏

c) Je suggère au «souffre–douleur» de demander
un changement d'école ; ❏

d) J'invite mes copains à cesser leur intimidation
et à remettre en question leurs attitudes. ❏

Réponses : Les bonnes réponses : «b» aux questions 1. et 2. et «d» aux trois autres.
Si c'est ce que tu as répondu, bravo ! Tu contribues à rendre notre société
meilleure, ouverte et respectueuse. Il faudrait te faire cloner.
Si tu as une ou deux mauvaises réponses, réfléchis un peu : Qu'est-ce qui te
dérange ou te fait peur dans l'homosexualité ?
Trois mauvaises réponses et plus, je te suggère d'essayer de comprendre ce
qui te rend intolérant avant de devenir le king des homophobes.
Enfin, si ton score est parfaitement impartfait, c'est-à-dire cinq mauvaises
réponses sur cinq, tu es homophobe avec un grand H. Appelle donc Gai Écoute,
tiens, le numéro est au chapitre 13...

89

CHAPITRE 8

JE JOUIS, TU JOUIS, ELLE FAIT SEMBLANT...

L'AUTO-ÉROTISME, UNE LOTO ÉROTIQUE !

L'auto-érotisme est une loterie absolument gratuite qui se joue seul et qui fait presque toujours un gagnant. Paradoxalement, le hasard n'a pas sa place dans cette tombola qui englobe l'ensemble des conduites, pensées et pratiques visant à se donner du plaisir à soi-même. Fantasmes et pratiques masturbatoires en font partie.

S'imaginer avec un gars que l'on trouve hyper tripant, rêver qu'une *top model* inaccessible ne nous résiste pas sont des fantasmes qui furent longtemps considérés comme des

«mauvaises pensées» par nos aînés. Ce cinéma érotique intérieur et personnel traduit l'intérêt sexuel, suscite et alimente
le désir. Grâce à ses fantasmes, on peut apprendre à parcourir l'étendue de son désir, à le ressentir, à le moduler, à l'habi-
ter, à l'entretenir, à le savourer lentement…

La masturbation consiste à se faire plaisir par des caresses,
sexuelles, sensuelles, génitales. Elle représente, encore
aujourd'hui, l'un des tabous les plus résistants dans le
domaine de la sexualité. Les pratiques masturbatoires, pré-
sentes dès la petite enfance, deviennent plus fréquentes et
plus conscientes avec l'arrivée de la puberté et de son esca-
dron d'hormones. La connaissance de soi passe par la
connaissance de son corps et les activités auto–érotiques
constituent souvent les premiers pas d'un apprentissage har-
monieux de la sexualité.

En outre, la masturbation qui conduit à la détente orgasmique
1. Contribue à soulager les crampes menstruelles chez les filles;
2. Apaise la tension sexuelle;
3. Peut éviter aux jeunes de se précipiter dans des rapports sexuels prématurés, bâclés et décevants;
4. Ne comporte aucun risque;
5. Se pratique en solo ou en duo...

Avec le sida, les MTS et le nombre élevé de grossesses involontaires chez les filles, on pourrait s'attendre à une montée de sa popularité.

SEXUALITÉ BIEN ORDONNÉE COMMENCE PAR SOI-MÊME

Découvrir le fonctionnement de son corps, prendre conscience de ses besoins, connaître et reconnaître ses réactions, se rendre responsable de ses plaisirs, s'écarter des comportements de passivité traditionnellement dévolus aux filles font partie d'une démarche globale d'autonomie. Ceux qui considèrent le «plaisir solitaire» comme un comportement égoïste oublient qu'il correspond presque toujours à une démarche de recherche de l'autre. Le désir, nourri par l'évocation d'un partenaire imaginaire, permet d'apprivoiser son potentiel érotique de partage. Évidemment, sans doute l'as-tu remarqué, la masturbation agit aussi comme exutoire de la tension sexuelle. Cela étant dit, il ne faudrait pas en conclure que tu es anormal si tu ne te masturbes pas[*]. L'important, c'est de te sentir en harmonie

*Les études montrent que 90 p. 100 des jeunes de moins de 20 ans se sont adonnés à la masturbation et que ce comportement se retrouve dans toutes les sociétés.

avec tes choix, de t'interroger sur le sens de ce que tu choisis de vivre ou de ne pas vivre.

DES ORGASMES : EN AVOIR OU PAS

L'orgasme est une sorte de point culminant, de sommet de la jouissance sexuelle. Ce sommet est atteint lorsque toute la tension sexuelle accumulée éclate et dégringole en vagues et en cascades de plaisir. Il succède, ou peut succéder, à un enchaînement de baisers, de caresses et de jeux érotiques qui ont mené à une excitation sexuelle vive et intense.

Les filles perçoivent les sensations de l'orgasme dans la région pelvienne, au niveau de la vulve et plus particulièrement à l'entrée du vagin. Le garçon, pour sa part, associe cette vive réaction à l'éjaculation. Pour tous deux, l'orgasme c'est un pic bref, quelques secondes intenses durant lesquelles chacun éprouve de savoureuses sensations accompagnées de spasmes involontaires dans la région génitale. Son accession se fait sur un parcours en cinq temps.

Concerto pour duo-ado

1er mouvement : Le désir
Attrait, réceptivité, goût de se rapprocher, de se laisser porter, remplir, saouler de désir... C'est quand tu te dis : Wow ! Cette personne-là me plaît infiniment, m'attire terriblement.

2e mouvement : L'excitation
Cette phase de la réponse sexuelle correspond aux changements corporels provoqués par la stimulation sexuelle (caresses, baisers, pensées érotiques, etc.). Sa principale manifestation chez le garçon est l'érection ; chez la fille, la lubrifi-

cation vaginale[*]. Le corps s'enivre lentement et progressivement, de perceptions et d'impressions délicieuses.

3e mouvement : Le plateau
Moment plus ou moins long du maintien de l'excitation sexuelle à son plus haut niveau. Chez le jeune garçon, cette phase est beaucoup plus brève que chez l'homme plus âgé. Pas grave, tu as l'avantage de pouvoir recommencer plus rapidement. Le plateau, c'est loin d'être plate, bien que... c'est à ce palier que les filles et les femmes qui n'aboutissent pas à l'orgasme restent accrochées... Et ça, c'est pas mal plate!

4e mouvement : L'orgasme avec un grand Ohhhh!
Ça y est! Mais c'est compliqué à décrire. Disons que c'est comme si toutes les petites cellules de ton corps, après avoir contenu un immense fou rire, y allaient toutes ensemble d'un grand éclat de rire, une secousse qui débonde, un bienfaisant tremblement du corps qui enregistrerait un 8 sur l'échelle de Richter.

5e mouvement : La résolution
Chez les deux sexes, l'organisme retourne à l'état de repos. Lorsque l'excitation a été vive sans mener à l'orgasme, le corps

_____
*Il ne faut pas confondre lubrification vaginale (être mouillée à la vulve) et orgasme. Être mouillée ne veut pas dire jouir, cela veut dire être excitée.

«crinqué» comme un ressort met plus de temps à revenir à la normale. Après l'orgasme, pendant un moment d'une durée variable (de quelques minutes chez un jeunot à quelques jours chez ton grand-père), le mâle ne peut pas être stimulé de nouveau. Cette phase réfractaire n'existe pas chez la fille. C'est dire qu'elle peut continuer d'être sexuellement excitée et qu'elle pourrait, éventuellement, ressentir des orgasmes à la queue leu leu…

Ainsi se joue le concerto de la réponse sexuelle qu'on souhaite sans bémol. Le 4e mouvement est parfois escamoté. Et on arrive moins facilement à l'orgasme en duo qu'en solo. Du moins pour la fille, dans la relation coïtale. Voici pourquoi.

LES DIFFÉRENCES GARS-FILLES

Le déroulement de la réponse sexuelle, féminine et masculine, est à la fois semblable et différent. Semblable en ce qu'il suit, chez les deux sexes, les cinq étapes mentionnées précédemment. Différent, parce que la fille est capable de plaisir et d'orgasme dans la mesure où son clitoris aura été adéquatement chouchouté. Dans le va-et-vient de la *tige de jade* dans l'*écrin de velours*, la jouissance masculine est bien servie par le frottement continu exercé sur le gland par les parois vaginales. Ce n'est pas le cas du clitoris, ce tremplin déclencheur d'orgasme, qui est plutôt loin de son profit dans cette partie de jambes en l'air. Et le clitoris, par rapport au vagin, c'est un peu comme du bois d'allumage par rapport au bois dur: le premier enflammera le second à condition d'être lui-même bien allumé. Or, le pénis n'a ni les propriétés ni la taille (fiou!) d'une allumette…

On a cru longtemps que le pénis était une sorte de baguette magique devant infailliblement procurer orgasme et jouissance à l'amante, preuve suprême de virilité. Cela a incité de nombreuses femmes à feindre la jouissance pour ne pas froisser l'orgueil du mâle. Il est temps de déboulonner ce mythe, de cesser cette mascarade qui encourage les filles à simuler le plaisir et qui alimente le culte de la performance «pénétrante» des gars.

De surcroît, dans notre culture qui estime que le coït est la voie royale de l'expression sexuelle, je me trouve bien souvent devant des adolescentes de 13 à 85 ans qui subissent la pénétration plus qu'elles ne la désirent, devant des adolescents de 13 à 85 ans qui n'ont jamais exploré d'autres avenues érotiques, devant des jeunes couples qui font un cinéma de leur sexualité bien plus qu'ils ne la vivent.

La relation coïtale qui ne culmine pas dans l'orgasme n'est pas toujours perçue comme insatisfaisante par la personne qui l'expérimente. Cependant, une bonne dose de frustration physique persiste lorsque la tension sexuelle reste en plan, à un haut niveau d'excitation. Après l'amour, le corps a besoin de repos et de détente. C'est un doux moment, rehaussé par la présence intime et complice de l'autre. Évidemment, ce sera pas mal moins jojo

de se demander qui est cet autre et ce qu'il fait dans son lit…

FÊTE DES SENS OU COLLISION GÉNITALE?

Faire l'amour c'est une volupté qui s'apprend. Lentement. Pour l'apprendre, il faut du confort, de la sécurité, et du temps. Il est nécessaire aussi de faire table rase des idées reçues. Pas la peine de s'abreuver à toutes les sources qui décrivent mille techniques et positions sexuelles. Une fois que les zones de prédilection érotique du partenaire sont repérées: seins, mamelons, nuque, clitoris, gland du pénis et tutti quanti, ce qui importe le plus, ce sont les attitudes que l'on développe à l'égard de son partenaire: confiance, respect, délicatesse d'approche, capacité de se dévoiler, goût de découvrir, abandon…

La relation intime, je le répète, n'est pas une prouesse sportive ni une course pour savoir lequel des deux arrivera le

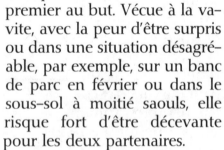

premier au but. Vécue à la va-vite, avec la peur d'être surpris ou dans une situation désagréable, par exemple, sur un banc de parc en février ou dans le sous-sol à moitié saouls, elle risque fort d'être décevante pour les deux partenaires.

L'orgasme, quand il est au rendez-vous, varie en intensité, d'une personne à l'autre et d'une fois à l'autre. Les amants, si amoureux qu'ils soient, l'éprouvent rarement en même temps et cela n'a pas une si grande importance. Rechercher l'extase coïtale à tout prix, ou pire encore, l'orgasme simultané, peut priver le couple de l'ensemble des joies auxquelles donne lieu l'échange érotique. Le plaisir s'accommode bien mal d'un chronomètre, car il nécessite abandon, spontanéité, étonnement et la satisfaction est liée à divers facteurs qui ne se limitent pas à la décompression génitale. Le sentiment d'intimité, le lien affectueux et la place privilégiée que chaque partenaire accorde à l'autre sont autant de composantes de la satisfaction.

PARABOLE DE L'ASCENSEUR

Les garçons et les filles peuvent parvenir au septième ciel. Rarement en même temps, pas de la même façon et pas chaque fois. Et après? Si le septième ciel existe, n'est-ce pas merveilleux de visiter les six cieux qui le précèdent, de s'y attarder langoureusement? Si l'amour atteint parfois une sorte de plate-forme stationnaire, il en va de même pour l'excitation sexuelle qui peut, comme un ascenseur, rester coincée entre deux paliers. Les garçons n'ont pas le même rythme de croisière que les filles et chacun a sa propre cadence. Ce qui fait que, dans l'ascenseur coïtal, le gars a tôt fait de se propulser au sommet pendant que sa compagne risque de s'ennuyer au sous-sol... Rappelle-toi qu'il peut être bien agréable de flâner au

deuxième, de faire la fête au troisième, de s'étirer au qua-
trième, de se reposer au cinquième... En tout cas, c'est bien
plus *tripant* pour la fille que d'être suspendue au sixième,
alors que son amant a déjà filé par la sortie de secours,
dévalant du septième à l'extérieur[16].

LA RENCONTRE DU 3ᴱ TYPE : PORNOGRAPHE OU FLEUR BLEUE

La pornographie, je n'aurais rien contre si elle ne découpait
pas l'être humain en petites tranches comme un saucisson.
Pour moi, qui considère la sexualité comme une relation et
une communication, la pornographie ne représente rien de
bien palpitant : elle ne propose que de la technique et de
l'outillage génital. Alors que la porno enferme et fige les
hommes et les femmes dans une robe de plomb, l'érotisme
les pousse à s'ouvrir, à chavirer... Toutefois, je ne te reproche pas d'en consommer, si c'est le cas. Je sais bien que
souvent, la porno est le seul « matériel érotique » qui te soit
accessible et que ton entourage, plutôt bavard sur la prévention des malheurs sexuels, est bien chiche à te parler de
plaisir.

Je n'ai rien contre la romance non plus. Dans la mesure
où elle n'engourdit pas le muscle, le cerveau et le pouvoir
des filles sur leur propre plaisir et sur leur propre vie. Le
prince charmant qui protège, embrasse divinement, vénère
et porte son adorée au nirvana, celui qu'elle attend, espère,
applaudit, écoute et idolâtre, n'existe pas dans la vraie vie.
Pas plus que n'existe la supernana de la porno qui bave
d'excitation à la seule vue de l'organe mâle...

Garçon et fille cherchent, chacun à leur manière, à alimenter leur imaginaire érotique pour nourrir leurs rêves d'éventuelles relations intimes: lui se tourne vers le XXX, elle flotte bien souvent dans un univers à l'eau de rose. Si la fille tâte de la porno, elle sera tentée, pour se sentir «normale», de s'identifier à ces prétendues bêtes de sexe, d'imiter leur «faire semblant».

Ces deux faces de l'univers érotique, pornographie et romantisme, sont aux antipodes l'une de l'autre mais ont néanmoins un dénominateur commun: la recherche du plaisir. L'une et l'autre établissent entre les sexes une relation inégale et proposent une image tronquée de la relation homme femme et de la sexualité. Peux-tu imaginer ce que vivront Jean et Marie lors de leur apprentissage sexuel à deux, si lui a passé des années à se masturber et à jouir rapidement devant des photos pornographiques, tandis qu'elle a excité son imaginaire au moyen d'intrigues sentimentales où poireautent des belles au bois dormant...? Ils feront «patate» comme on dit, et leur réveil risque d'être brutal. Une collègue raconte:

> *J'ai eu en consultation un gars d'à peine 20 ans, incapable d'avoir des rapports sexuels avec des «vraies filles». Depuis l'âge de 12 ans, il s'enfermait, fumait du hasch et consommait*

quotidiennement de la porno hard. À 17 ans, il a eu sa pre-
mière relation sexuelle avec une fille. Il a trouvé ça d'un ennui
mortel et s'est montré incapable de « performer ». L'excitation et
la détente n'étaient possibles pour lui que lorsqu'il s'abreuvait
de fantasmes violents. Il demeurait insensible à toute autre
forme de stimulation…

C'est un cas exceptionnel, j'en conviens. Qui illustre néanmoins combien l'accoutumance à la porno peut scléroser et
insensibiliser celui qui la consomme. Dans ce sens, privant la
personne de sa capacité de s'émouvoir, de chavirer et de s'aban-
donner, elle est obscène. La porno, c'est la répétition, le prévi-
sible, l'action brute. L'érotisme, c'est la surprise, l'étonnement, le
désir. Les images pornographiques permettent peut-être à leurs
consommateurs de prendre leur pied. La relation érotique, elle,
invite à perdre pied, ce qui permet justement de le prendre…

À TOI DE JOUER!

Éros, Vénus et cie

1) Loto–érotisme, c'est :
   a) Un jeu de Scrabble cochon ;   ❏
   b) Un jeu de hasard dont le terme anglais est *strip-loto ;*   ❏
   c) Un jeu de société vendu dans les sex–shops ;   ❏
   d) Un jeu de loterie qui ressemble au bingo ;   ❏
   e) Un jeu érotique avec soi–même.   ❏

2) Le clitoris est :
   a) Un bébé dieu grec de l'amour ;   ❏
   b) Une marque de petits pois aphrodisiaques ;   ❏
   c) Une sorte de coup de foudre
       (tu sais quand ça fait clic!) ;   ❏

d) Un détective qui a un mini pénis ; ❑
e) Un petit organe du plaisir féminin situé
en haut de la vulve. ❑

3) La réponse sexuelle, c'est :
   a) Un message olé olé enregistré sur
   une boîte vocale ; ❑
   b) Quand on dit OUI ou NON à une
   avance sexuelle ; ❑
   c) Quand on coche homme ou femme
   dans la case d'un questionnaire ; ❑
   d) La seule réponse qu'on ne me demande
   jamais dans mes examens ; ❑
   e) Le parcours érotique allant du désir
   à la satisfaction (ou à l'insatisfaction) sexuelle. ❑

103

4) Le pénis, c'est :

   a) Le principal organe sexuel humain ; ❏

   b) Le petit de la péniche ; ❏

   c) La queue des quadrupèdes ; ❏

   d) Le nom d'un journal fondé par un
certain monsieur Lepen ; ❏

   e) Un organe masculin qui a, entre autres
fonctions, celle du plaisir. ❏

5) Le mot coït veut dire :

   a) Un silence de mort ; ❏

   b) *Quoi* en ancien français ; ❏

   c) Une maladie qu'on peut attraper
de son coloc ; ❏

   d) Un synonyme de couic !, onomatopée
qui imite un petit cri de joie ; ❏

   e) Accouplement ou, dans le langage
courant, relation sexuelle avec pénétration. ❏

Réponses : La bonne réponse est « e » partout.
À la question 5, la réponse « d » est aussi acceptable.
Si tu as répondu par un « a », à la question 4, tu devrais relire le chapitre premier.
Si à cette même question tu as choisi « c », j'espère que c'est parce que tu es
savant et non pas parce que tu te prends pour un quadrupède… Effectivement,
le mot pénis vient du latin et signifiait originalement « queue des quadrupèdes ».
Et si tu n'as pas un score parfait, tu as besoin de manger quelques croûtes
avant de te lancer en amour…

CHAPITRE 9

JE REFUSE, TU INSISTES, IL HARCÈLE !

Vas-tu rester vierge jusqu'à ta ménopause ?
À part les «rejets», t'es la seule vierge de toute l'école ; t'es pas tannée de passer pour une twit !
On est les seuls à ne pas baiser. On est ensemble, oui ou non ? De quoi j'ai l'air ? Tu me fais passer pour un nul et j'en ai assez !

Si tu entendais de tels propos dans la bouche d'un adulte, tu n'hésiterais pas à le traiter de *vieux perve*, d'anti–gentleman. Ils ne sont pas plus acceptables venant d'un ado.

LE HARCÈLEMENT:
C'EST SURTOUT PAS DE L'AMOUR!

Faire pression sur une fille, insister pour obtenir ses faveurs sexuelles, c'est complètement nul. Et on n'est pas moins nul si elle finit par céder. Si le chapeau te va, demande-toi comment tu peux te valoriser d'obtenir un faux consentement par le chantage. Ça ne te plairait pas que ta blonde ait follement envie de coucher avec toi? Qu'elle en salive d'envie plutôt que de dégoût? Qu'elle te désire, te veuille, te choisisse au lieu de te subir?

En contrepartie, si tu es celle qui se fait servir une pareille salade, faudrait pas croire que cette insistance s'explique par le fait que tu es irrésistible… Affirme-toi:

«Écoute, *man*: Faire l'amour dans ces conditions, c'est un peu comme se résigner lorsqu'on a un revolver sur la tempe. Non, merci!»

Ça me fait penser… Quand j'étais petite, on attrapait une sauterelle, on la serrait dans sa main et on lui ordonnait: «Donne-moi du miel, sinon j'te tue!» L'insecte épouvanté nous crottait dans la main et on se faisait croire que c'était du miel. «Donne-moi du sexe, sinon je t'exclus!», semblent dire certains *boys*… à des filles qu'ils traitent comme d'insignifiantes sauterelles.

Celles qui abdiquent sous la pression ont-elles une colonne vertébrale d'orthoptère? Mais non, elles cèdent pour ne pas qu'on les juge nulles ou attardées ou parce qu'elles veulent garder leur tortionnaire ou, tout simplement, pour se conformer aux diktats de l'«adocratie». Pourtant, le résultat obtenu est rarement celui qu'elles escomptaient. Pour comble, elles se sentent souvent plus seules après qu'elles ne l'étaient auparavant. C'est bon et gratifiant de faire l'amour quand les personnes concernées le désirent toutes deux. Pourquoi se contenter de moins quand on peut avoir plus?

Cette forme de harcèlement sexuel est si répandue qu'elle est banalisée. On finit par trouver acceptable cette anti-séduction. «User de pressions afin d'obtenir des faveurs de nature sexuelle», voilà la définition du harcèlement sexuel, proposée par le législateur. Et, au Canada, c'est un délit punissable par la loi.

Alors, oui c'est oui, et c'est bon. Non c'est non, et c'est bon aussi.

LA VIOLENCE «AMOUREUSE»: C'EST SURTOUT PAS DE L'AMOUR!

Selon une récente étude américaine, une adolescente sur cinq subit de la violence de la part de son petit ami[17]. D'autres enquêtes révèlent que 40 p. 100 des filles de 14 à 17 ans affirment connaître une copine qui a été battue ou brutalisée par son ami de cœur. Parmi les jeunes «en difficulté» avec lesquels j'ai travaillé, au moins une fille sur trois avait déjà été malmenée par son copain: bousculée, giflée, mordue ou contrainte à une activité sexuelle. Toutes se faisaient régulièrement violenter verbalement: salope, vache, grosse torche… Le cas de Tania, 15 ans, est typique. Elle a peu d'estime d'elle-même, elle souffre de dépendance affective et son dur à cuire de chum a 18 ans:

Il pogne les nerfs pour tout et pour rien. Quand il stresse, c'est toujours de ma faute. Il me gifle, me crie des noms. Les coups de poing c'est plus rare quand même, mais ça arrive, quand je l'ai trop provoqué ou fait enrager...»

Si tu ressens des impulsions de cette nature : propension à malmener ou tendance à te laisser malmener, réagis avant de te retrouver en taule ou à l'hôpital. Consulte les ressources mentionnées au chapitre 13.

Quant à la violence verbale, aux injures et aux épithètes qui dénigrent, ils sont tout aussi indigestes et destructeurs. Se faire traiter de niaiseux, de débile ou d'épaisse à longueur de semaine par un partenaire prétendument amoureux n'a rien de particulièrement érotisant. J'ai peine à comprendre que tant d'ados endurent cela. Toute expression sexuelle et pseudo-amoureuse qui dévalorise une personne au lieu de la gratifier est une aberration. À la poubelle !

TON BEAU-PÈRE, TON ONCLE OU UN *VIEUX PERVE* BANDE SUR TOI : C'EST SURTOUT PAS DE L'AMOUR !

Si un parent ou le voisin dont tu gardes le bébé se retrouve accidentellement nu devant toi, c'est sûrement moins fortuit qu'il ne tente de le faire croire. S'il cabotine parce qu'il aime-

rait que tu lui donnes son bain comme à bébé, dis–lui d'aller se faire voir, et ne remets plus les pieds chez lui. Ce sont des propositions abusives pour lesquelles il est malaisé de porter plainte parce qu'elles sont, à dessein, pleines d'ambiguïté. Tu peux au moins aviser tes copines et copains qui seraient tentés d'accepter ce travail. Vigilance! Les vieux loups qui veulent bouffer les brebis délient habituellement leur bourse avant leur… braguette!

Si ton beau-père ou ton oncle effleure souvent tes seins ou ton pénis, comme par hasard, ouvre l'œil. Un frôlement fortuit, lors de jeux comprenant des contacts physiques, ça se peut. Trop souvent, c'est louche. Ordinairement, on le sent quand les intentions sont libidineuses. Fie-toi à tes intuitions. Même chose si ton éducateur ou ton entraîneur sportif devient un pot de colle, te déshabille du regard ou fait de toi son chouchou.

Il ne s'agit pas de prendre le mors aux dents. Dans une situation équivoque et confuse, tu dois aiguiser tes antennes. Les prédateurs qui salivent sur de la chair fraîche font rarement des propositions limpides au début; ils camouflent leurs intentions pour ne pas être démasqués. Ils placent leur proie dans une zone si grise qu'il te sera impossible, à ce stade, de refuser catégoriquement leurs avances ou de les accuser, puisqu'il n'y a pas eu de sollicitation explicite. C'est donc ton attitude corporelle et psychologique, ta solidité et ton aplomb qui feront comprendre au profiteur que tu ne t'en laisseras pas imposer. Garde alors le corps droit, la tête froide et haute et maintiens une distance. Fais parler ton regard : « J'ai bien vu ton petit jeu et ne t'avise pas de recommencer ou d'aller plus loin ! »

Et si le têtu revient à la charge : tu en parles. C'est la seule façon de ne pas te laisser coffrer.

TON CHUM TE DEMANDE D'ÊTRE « GENTILLE » AVEC SES COPAINS : C'EST SURTOUT PAS DE L'AMOUR !

Cette situation n'est pas très répandue. Mais elle existe. Le plus souvent, elle est le fait d'une gang de rue, de bandes organisées de délinquants sous le joug desquels tombent certaines filles. Un filet dont il est difficile de s'extirper une fois qu'on y a été piégé. On a une peur bleue des représailles.

Écoutons Vickie résumer sa malencontreuse expérience:

J'avais 14 ans. J'étais folle de lui, toute flattée qu'un si beau gars de 21 ans m'aime. Il me traitait comme une star. Je n'ai rien vu venir. J'ai lâché l'école parce qu'il voulait que je sois toujours auprès de lui. J'ai commencé à consommer régulièrement et de plus en plus. Puis à en vendre, à sa demande. J'aurais fait n'importe quoi pour lui. Un soir, trois de ses amis m'ont violée. Je l'ai dit à mon chum, croyant qu'il serait furieux et que ces salauds allaient le payer cher. Pantoute! Il m'a dit que je devais être gentille avec ses amis. À partir de là, tout a déboulé. Je me suis mise à faire des «passes» et je lui remettais le fric… Ça a duré presque deux ans. En dernier, il me traitait comme un chien… J'ai tenté de m'en sortir; ça m'a valu quelques bonnes raclées. J'avais même peur qu'ils me tuent. J'ai 19 ans aujourd'hui. Je peux dire que j'en suis sortie, mais ça a laissé de grosses traces. Je suis chanceuse: j'ai eu le courage d'aller chercher du secours à un moment où je pouvais encore m'en tirer. Je reviens de l'enfer. Et j'ai encore peur…

Vickie

Comment prévenir un tel désastre? Vickie aurait-elle pu réagir plus rapidement? Certes, tous les garçons qui s'intéressent à des filles plus jeunes ne sont pas des monstres. Et toutes les filles ne sont pas aussi carencées que l'était Vickie pour se

laisser ainsi aveugler. Mais à partir du moment où on a l'impression qu'on est prêt à tout pour quelqu'un, qu'on est prêt à aller trop loin, il faut s'arrêter, se poser des questions, en parler. L'amour que l'on nous porte, l'amour que nous ressentons pour l'autre devraient nous donner des ailes, pas nous abîmer et nous faire *crasher*! Garçon ou fille, homme ou femme, nous devons fuir quiconque veut nous contrôler, nous dominer, faire de nous sa chose.

LE VIOL: C'EST SURTOUT PAS DE L'AMOUR!

La plupart des victimes d'agressions sexuelles connaissent leur agresseur. Chez les jeunes, ces agressions se produisent parfois à l'issue d'un *party* au cours duquel tout le monde a trop consommé, s'est trop éclaté. Lorsqu'une fille refuse une activité sexuelle que le gars lui impose, elle est victime d'un viol. Plus odieux encore est le viol collectif, moins rare qu'on ne le croit dans ces fins de fiesta. Quand elle n'est pas gelée comme une *bine*, la fille est si paralysée de peur qu'elle finit par se soumettre pour ne pas se faire cogner. Le ou les garçons prétendront qu'elle était consentante. Elle aura le sentiment d'avoir été violée et, de fait, elle l'aura été.

PRENDS-EN UN PEU, VÉRONIQUE !

JE VAIS PLUTÔT ALLER PRENDRE DE L'AIR !

Ce que tu peux faire :
1. Éviter de te mettre en situation de perdre tes réflexes de défense ou tes notions de civilité ;
2. Apprendre à affirmer clairement ce que tu veux et ce que tu ne veux pas ;
3. T'exercer à entendre un refus, à l'accepter ;
4. Intervenir et dissuader quelqu'un qui est sur le point de commettre une agression sexuelle ;
5. Parler de l'agression sexuelle, porter plainte, solliciter l'aide dont tu as besoin, quelles que soient les circonstances et malgré la honte ou la culpabilité que tu as pu éprouver.

À TOI DE JOUER!

Prince charmant ou crapaud ?

1) Quels sont les cinq mots que j'utilise le plus souvent pour parler de l'amour et de la sexualité?

2) Quels sont les cinq mots que j'utilise le plus souvent pour manifester mes sentiments et besoins affectueux à mon chum ou à ma blonde?

3) Est-ce que je me reconnais dans le sous-chapitre sur le harcèlement sexuel?
   a) En tant que personne qui harcèle ou comme personne harcelée?

b) Je fais partie des gars qui croient que «les filles ont si peu de besoins sexuels que si on ne les harcelait pas, elles ne céderaient jamais à nos demandes.»

c) Je suis une fille qui croit que «ça ne peut pas être autrement parce que les garçons sont tous des obsédés sexuels!»

4) Qu'est-ce que je suggérerais au copain ou à la copine qui me confierait avoir subi une agression sexuelle? Est-ce que j'interviendrais pour empêcher une agression sexuelle?

5) Est-ce que je crois qu'un geste violent de temps en temps est acceptable? Exemple: serrage de bras, claque derrière la tête, égratignure…

Ce chapitre m'a permis d'illustrer sommairement l'idée que la sexualité a une face lumineuse et une face obscure. Elle peut exprimer le respect et l'ouverture autant que le rejet et l'insulte. Elle peut être une histoire d'amour, même s'il ne s'agit pas d'amour avec un grand A, une liaison érotique ou un trip de cul*. Elle peut aussi être un trip de haine. Il t'appartient de décider ce que tu veux vivre, de devenir actif dans les changements que tu souhaites…

Réponses : Encore une fois ici, les bonnes réponses, ce sont les tiennes à condition qu'elles reflètent des qualités de respect et d'égalité et que tu aies été honnête. Tes réponses à ce petit test t'amèneront peut-être à te poser des questions, à te faire prendre conscience de certains aspects de toi que tu n'avais pas identifiés. Tu peux je refaire avec ton copain ou ta copine, avec tes amis ou tes parents. Vous courez la chance d'avoir des discussions intéressantes, des chicanes sympathiques, des discussions éclairantes…

---

*Un trip de cul auquel les partenaires consentent librement n'est pas de l'exploitation sexuelle. C'est un trip de cul.

CHAPITRE 10

JE TE PARLE, TU M'ÉCOUTES?
ON SE COMPREND PAS!

ommuniquer, c'est se mettre en état de disponibilité afin de saisir une occasion de rapprochement. Cela suppose une écoute attentive de la personne qui s'exprime, cela exige un emploi judicieux des mots qui peuvent traduire clairement ce que l'on veut exprimer. Pas facile. Surtout avec les parents. Jeunes et adultes, chacun de leur côté, possèdent leurs propres codes, leurs propres valeurs, leur propre langage. Garçons et filles, chacun de leur côté, possèdent leurs propres incertitudes, leurs propres craintes, leurs propres besoins. La communication est donc possible dans la mesure où les interlocuteurs se respectent mutuellement et sont réceptifs.

C'est encore moins facile de parler de sexualité. On n'en cause pas aussi allégrement qu'on peut le faire du dernier CD de l'un ou des fringues griffées de l'autre. On voudrait que ça coule de source : chacun désire être deviné, compris en silence. Les gars et les filles sont bien discrets sur leurs attentes réciproques lorsqu'il s'agit de leurs relations sexuelles et amoureuses. Les gars ne se confient pas à leurs copains ; ils plaisantent entre eux. Les jeunes ne s'ouvrent pas aux plus âgés ; ils se disent que les vieux n'y comprendraient rien et paniqueraient. Les filles, elles, se parlent davantage entre elles.

DEUX SEXES, DEUX MESURES ?

Parmi les groupes de jeunes que je rencontre, les garçons reprochent aux filles d'être compliquées, difficiles à comprendre ; selon eux, elles font bien du chichi, accordent une importance démesurée à l'amour... Et, immanquablement, les filles adressent aux garçons ce sempiternel reproche en forme de question : « pourquoi étalent-ils sur la place publique leurs conquêtes sexuelles ? On ne peut jamais compter sur leur discrétion. ». Il est vrai

que les gars passent encore pour des héros aux yeux de leurs pairs quand ils se vantent de leurs nombreuses aventures sexuelles, alors que les filles qui en font autant se font traiter de salopes. «Un gars qui baise à gauche et à droite est un tombeur. Une fille qui a plusieurs amants est une pute», protestent les filles. Nous vivons dans une société où prévaut encore la règle du deux poids, deux mesures. Ça change. Mais tout n'est pas gagné.

Que faire pour améliorer la situation et, par le fait même, nos relations? Les garçons pourraient-ils mettre moins d'ardeur à se péter les bretelles et s'essayer à parler simplement de sexualité avec leur blonde? Les filles pourraient-elles cesser de brandir le paravent de l'amour pour camoufler leurs besoins et leurs désirs sexuels? Plus on se parlera entre filles et garçons, mieux ce sera et mieux on se comprendra.

1, 2, 3, *LET'S GO*!

Il y a la communication qui prépare le terrain, celle qui livre un message, celle qui juge et évalue, celle qui célèbre. Il y a le langage, le verbal et le non-verbal, le langage de la raison, celui du cœur et celui du corps. Habituellement, les messages du corps bluffent moins que ceux des mots. Mais nous sommes des êtres de parole et puisque nous ne pouvons pas ne pas communiquer, aussi bien le faire clairement.

La communication verbale en 3 étapes:

1. Ce que l'on veut dire (intention);
2. Ce que l'on dit et comment on le dit (mise en forme);
3. Ce que l'autre comprend (interprétation).

Élémentaire, n'est-ce pas? Pourtant, ce simple processus est souvent rempli de distorsions. Prenons un exemple classique de communication tordue en reprenant les étapes.

Supposons que tu aies la maison pour toi tout seul un beau samedi et que tu souhaites en profiter pour vivre un moment d'intimité sexuelle avec ta copine.

1. Ce que tu veux: qu'elle te rejoigne pour vivre avec elle cette intimité érotique (ton intention).

2. Ce que tu lui dis: «J'ai besoin d'aide pour mes maths. Viens donc passer la journée avec moi, après, on regardera le dernier film de Brad Pitt.» (Mise en forme qui ne transmet nullement ton intention réelle.)

3. Ce qu'elle comprend: «C'est vrai que je suis meilleure que lui en maths; qu'est-ce qu'il est chouette, il sait que j'adore Brad...» (Interprétation juste, car elle ne peut deviner que la mise en forme est faussée.)

Résultat probable: elle se sentira piégée. À moins qu'elle ne te considère déjà comme un bluffeur, elle sera fâchée et avec raison. Elle te trouvera malhonnête et mou (alors que tu es très dur...). C'est sans doute par timidité ou par maladresse que tu as été incapable de lui signifier ton intention, mais elle n'y verra que du feu. *Let's go*, se dira-t-elle, je fiche le camp d'ici, ce mec est trop bête. Et si elle décide de rester quand même pour ne pas te décevoir, elle aura le sentiment d'avoir été manipulée.

Voyons ce qui aurait pu se passer si tu n'avais pas dérapé à l'étape 2.

1. Ce que tu veux ne change pas: la convaincre de s'amener chez toi pour des jeux érotiques;
2. Ce que tu aurais pu dire pour que tes mots reflètent ton intention: «Je serai seul à la maison samedi. Si tu venais passer la journée avec moi, ce serait super. Juste nous deux, toute une journée, en amoureux, tu imagines...»
3. Ce qu'elle aurait compris: ton intention véritable.

Résultat probable : Elle aurait été flattée de sentir que tu la désires, que tu le lui manifestes si gentiment, que tu aies la délicatesse de prévoir un contexte agréable et détendu pour agrémenter vos amours, que tu aies envie de cette journée avec elle. Et surtout, elle aurait pris une décision éclairée, en sachant à quoi s'attendre. *Let's go*, se serait-elle peut-être dit, en glissant quelques condoms dans son sac, «ce mec est vraiment trop chouette». Et si elle avait refusé ton invitation, elle t'aurait expliqué sa décision, il n'y aurait eu aucune ambiguïté. Chacun se serait bien senti, avec soi-même, avec l'autre.

Tu as ce grand privilège, parce que tu es jeune, de ne pas t'encroûter dans de mauvaises habitudes qui nuisent à une bonne communication et aux bonnes relations. C'est telle-ment difficile de s'en défaire après.

EXEMPLES DE MESSAGES TRAFIQUÉS À L'ÉTAPE 2 :

Tu vas être pogné avec moi ! J'ai raté mon autobus alors que tu penses : *Je voudrais être plus longtemps avec toi.*

J'ai mal au ventre ! quand tu ressens *Je préfère ne pas faire l'amour aujourd'hui.*

Les gars ne comprennent rien aux filles, tandis que tu souhaites : *J'aimerais que tu me caresses plus longtemps là…*

PARLER POUR SOI, C'EST DÉJÀ PAS MAL

Peut-être as-tu observé, dans les exemples précédents, que les personnes utilisent le «je». C'est une bonne habitude à prendre : se défaire de cette manie de décider pour l'autre ou de conjuguer à la troisième personne.

Jonathan ne comprend pas pourquoi Geneviève a rompu avec lui: *On était bien ensemble... C'était bon... On s'aimait*, se lamente-t-il, au lieu de parler pour lui.

De toute évidence, si Geneviève s'était trouvée si bien qu'il le suppose, si leur relation avait été satisfaisante pour elle, elle ne l'aurait pas quitté. Il ne comprend rien à ce qui lui arrive maintenant parce qu'il ne s'est jamais soucié auparavant de vérifier les perceptions et les sentiments de Geneviève.

Un autre exemple. Si, après un rapprochement sexuel, une personne affirme «C'était bon», elle conclut pour elle et pour l'autre. Jusqu'à un certain point, elle impose son évaluation. Trancher que «C'était bon» n'encourage pas l'autre à émettre un commentaire qui serait divergent. Cependant, «J'ai trouvé ça bon» invite le partenaire à s'exprimer à son tour. De la même façon, on a tout avantage et il est plus conforme à la réalité de dire «Je suis bien avec toi» que de dire «On est donc bien ensemble!».

Dans le même esprit, utiliser le «tu» attribue à son interlocuteur une impression qui n'est pas la sienne ou une responsabilité qui ne lui incombe pas nécessairement. Avoue que tu seras plus réceptif et mieux disposé à m'écouter si je te dis «J'ai de la peine» ou «Je suis déçue» que si j'affirme «Tu me fais de la peine» ou «Tu me déçois!». La première formulation prédispose à l'échange, alors que la seconde place l'autre sur la défensive, ce qui peut engendrer la confusion ou l'affrontement.

D'AUTRES OBSTACLES

Les mots qui exigent:
> *Embrasse-moi!*
> *Dis-moi que tu m'aimes!*
> *Viens te coucher, t'es fatiguée!*

Beurk! Si on y allait plutôt avec de mots qui invitent, qui suggèrent:
> *J'ai le goût que tu m'embrasses;*
> *J'adore quand tu me dis que tu m'aimes;*
> *J'ai hâte que tu viennes t'allonger près de moi.*

Les mots-ordres, lorsqu'ils sont répétés, engendrent la colère, la fuite et l'écœurement.

Les mots qui jugent:
> *Une fille correcte ne s'habille pas comme ça!*

Sous-entendu: «Je suis jaloux.» Si tu l'es, pourquoi ne pas le dire franchement…?
> *T'as jamais d'orgasme!*

Sous-entendu: T'es pas une vraie femme; t'es nulle.
> *T'as déjà éjaculé?!*

Sous-entendu: Quel piètre amant tu fais!

Les mots qui humilient:
> *T'es pas normale, toutes les filles aiment ça.*
> *T'es bien comme tous les autres! Un égoïste!*
> *Tu te comportes comme une enfant de 10 ans!*
> *Mon ex, elle, ne se faisait pas prier!*
> *Mon ex, lui, savait s'y prendre!*

Mine de rien, les mots insinuent, ils ne sont jamais neutres. Ils enrichissent ou appauvrissent, éteignent ou allument la personne, l'estime de soi, la relation, le goût de l'autre.

Si tu acquiers maintenant l'art de bien dire ce que tu ressens, tu auras une longueur d'avance sur tes rivaux et rivales. Garde ça pour toi, mais tu auras aussi une bonne longueur d'avance sur bien des adultes de ton entourage.

À TOI DE JOUER!

Ai-je le mot d'amour juste?

1) Je capote sur une fille qui vient de changer de coiffure, excellente occasion pour lui faire savoir que je suis libre. Je lui dis:

   a) Ton nouveau look est super, tu ressembles
   à mon ex que j'ai plaquée; ❑

b) Tes cheveux sont super beaux, si tu étais un peu plus
    mince, tu me ferais penser à une de mes ex;
c) J'aime beaucoup ta nouvelle coiffure
    Depuis que je suis célibataire, j'ai envie
    de changer de look, moi aussi…   ❏

2) Je suis très attirée par un ami de mon frère. Je
    sais qu'il adorerait assister à un show pour
    lequel j'ai eu des billets gratos… Je lui dis: ❏
    a) Viens donc avec moi! Tu es chanceux
        d'avoir ce billet à moitié prix;   ❏
    b) Toutes mes copines y vont avec leur chum,
        j'aime mieux y aller avec toi que d'être
        toute seule comme une dinde!   ❏
    c) J'ai très envie d'être avec toi pour aller à ce show.   ❏

3) J'éprouve de l'inquiétude parce que mon
bien-aimé ou ma chérie fait du sport chaque
semaine avec quelqu'un qui lui fait du charme.
Je lui dis : ❏

   a) Prenez-vous votre douche ensemble après ?
   C'est l'autre et vos maudits prétextes de sport
   ou c'est moi, choisis ! ❏

   b) Tu tripes dessus, j'en mettrais ma main
   au feu ! Sinon tu abandonnerais ce sport
   niaiseux ; ❏

   c) La jalousie me ronge ! J'ai besoin de sentir
   que c'est moi que tu aimes. ❏

4) Vous avez fait l'amour pour la première fois
et ça ne s'est pas passé comme vous l'aviez
souhaité. Vous êtes déçus, chacun à votre façon.
Tu lui dis : ❏

   a) C'est ta faute, t'en avais pas envie au fond !
   (si tu es un garçon) ;
   C'est ta faute, tout ce que tu voulais, c'est
   me baiser ! (si tu es une fille) ; ❏

   b) Tout est ma faute, je suis si nulle ou je
   suis si maladroit ; ❏

   c) Qu'est-ce qu'on pourrait faire pour que
   ça se passe mieux la prochaine fois ? ❏

Réponses:

Le « c » me semble être la réponse la plus judicieuse à chacune des questions. Tu n'as que des bonnes réponses? Tu es un as de la franche communication, tu as du discernement et de la sensibilité. Mais, est-ce vraiment ce que tu dirais dans le feu de l'action?

Tu n'as que des mauvaises réponses? Bravo quand même pour ton honnê-teté. Essaye un peu de revoir ta manière d'exprimer ce que tu ressens, car le plus malheureux dans tout cela, c'est probablement toi.

Le nombre de bonnes réponses n'a pas d'importance. Mon intention est de te faire sentir que tu as du pouvoir, que tu peux changer les choses pour le mieux.

CHAPITRE 11

MOI, TOI, LES AUTRES...

EST-CE NORMAL D'ÊTRE NORMAL ?

Suis-je normale ? Suis-je correct ? Voilà la question que se posent, tôt ou tard, tous les adolescents. Mais normal par rapport à quoi ? À qui ? La normalité avec un grand « N », universelle et absolue, n'existe pas. La perception de ce qui est normal ou de ce qui ne l'est pas est étroitement liée à nos valeurs, à notre vision de ce qui est O.K. et de ce qui ne l'est pas, à la culture dans laquelle nous baignons, à

l'éducation reçue et aux normes véhiculées par la société dans laquelle nous vivons.

La sexualité est mouvante, changeante, en constante évolution. La normalité aussi. La norme d'hier n'est pas celle d'aujourd'hui. Il y a à peine 40 ans, une fille qui avait fait l'amour avant le mariage était une fille «souillée», mise au ban, finie : selon les bien-pensants, aucun homme ne voulait plus d'elle. Aujourd'hui, on se demande si on n'est pas anormal quand on n'a pas encore couché à 16 ans ! Autrefois, les femmes qui avaient du plaisir sexuel s'en confessaient au curé ; aujourd'hui, celles qui n'en éprouvent pas, ou pas assez, consultent des spécialistes. Dans les années 50, l'homme viril était celui qui s'excitait, bandait et éjaculait en moins de trois minutes ; de nos jours, on l'appelle éjaculateur précoce et on le soigne. Au cours de leur jeunesse, tes grands-parents se sont peut-être fait dire par leurs parents que la masturbation faisait pousser du poil dans les mains, rendait sourd ou donnait des boutons... De nos jours, les papis et mamies vivent leur sexualité et sont souvent d'habiles éducateurs en ce domaine.

Selon moi, sont «normales» les expressions et manifestations de la sexualité fondées sur le respect de soi et d'autrui, dans le consentement et la dignité.

Les questions tracassières[18]

L'orgasme

> *J'ai des orgasmes quand je me masturbe, mais jamais quand je fais l'amour. Pourtant, j'aime mon copain. Il fait tout ce qu'il peut, il fait attention à moi. Ça le déçoit et moi aussi. Avec mon ancien chum, c'était la même chose. Serai-je normale un jour?*
>
> Karina, 16 ans

Pour toutes les raisons expliquées au chapitre 8, Karina est on ne peut plus normale. Elle a le bonheur d'atteindre l'orgasme quand elle se caresse, ce n'est pas rien. Elle pourrait montrer à son copain comment elle y arrive. La plupart des jeunes couples sont très conservateurs dans leurs ébats amoureux. Ils font l'amour, lui dessus, elle dessous, toute coincée: c'est la position où le clitoris est le moins stimulé, où elle est le moins libre de ses mouvements. Ils auraient avantage à varier le format: elle au-dessus ou les deux

129

allongés côte à côte ou à demi-couchés. Ainsi, elle contrôlerait mieux les mouvements, l'angle de pénétration, et serait en position d'orienter le contact entre le gland et la région du point G (tiers externe du vagin). Puis, ils pourraient partir à la découverte de leur «mouvance» corporelle: serrement des jambes, changement de rythme, intensité du contact, stimulation simultanée du clito et tout ce qu'ils voudront…

La taille du pénis

J'ai un petit pénis, bien plus petit que ceux de mes camarades que j'ai vus aux douches. C'est quoi la grandeur normale?
                                        Sébastien 14 ans

FIOU !!

La longueur du pénis de Sébastien, du tien, de celui de ton voisin, est la longueur normale. Il peut y avoir un bon écart de taille entre les pénis à l'état flasque. En érection, cet écart s'amenuise grandement: les petits pénis augmentent davantage de volume avec l'érection que les plus gros. La taille du pénis n'est pas proportionnelle à la capacité d'éprouver et de donner du plaisir.

La masturbation en trop

Je me masturbe beaucoup. Tous les jours et parfois plusieurs fois par jour et plusieurs fois d'affilée. Quand je vais bien, quand je vais mal, quand je suis en colère, quand je suis de bonne humeur. Je suis inquiet. C'est comme si j'étais toujours enragé, insatisfait… Je sais bien que tous les gars se masturbent, mais à ce point là, est-ce normal?
                                        Martin, 16 ans

130

Se masturber est une conduite sexuelle normale. Ne pas se masturber est un choix sexuel tout aussi normal. Cependant, un comportement d'auto-stimulation compulsif peut être le symptôme d'un problème autre. Comme pour n'importe quel autre comportement excessif, il faut se poser des questions quand la masturbation devient obsessive et compulsive, c'est-à-dire

lorsqu'elle se substitue aux intérêts habituels, conduit à l'isolement, s'exerce dans des lieux inadéquats, mène à la douleur physique ou à la détresse psychologique. Certaines conduites sexuelles témoignent de carences ou de difficultés qui ne sont pas sexuelles en elles-mêmes. L'excès devient alors un symptôme et non une maladie. Il faut consulter pour élucider les troubles, affectifs ou autres, qui se cachent derrière. Martin devrait aller parler de son inquiétude avec une personne compétente et de confiance.

L'âge normal?

J'ai 18 ans et je n'ai pas de chum. Je n'ai jamais fait l'amour et ce n'est pas parce que je suis laide ni parce que je n'ai pas eu d'occasion. Je n'en ai pas envie. Mes copines me traitent d'arriérée, les gars me demandent si je suis lesbienne. J'aime les gars et

131

j'aimais beaucoup embrasser et être caressée par mon chum quand j'en avais un. Ça m'excite terriblement quand je regarde un film au cours duquel un couple s'embrasse et se caresse. Mais je n'ai pas envie d'aller plus loin… C'est comme si j'en avais envie dans ma tête, dans mes rêves, mais pas dans la réalité. Je commence à me poser des questions sur ma normalité?

Francesca

Non seulement Francesca est normale, mais elle semble aussi très forte. Il faut de l'aplomb et de l'autonomie pour ne pas se laisser bousculer par les autres, pour ne pas faire comme tout le monde. Elle ne s'est pas laissé influencer par les jugements et les bêtises qu'on lui lance au visage. Francesca sait ce qu'elle veut et ce qu'elle aime. Pourquoi  ne profiterait-elle pas tout son soul de ce qui lui fait plaisir? Si ce qu'on aime, c'est embrasser et cajoler, eh bien, embrassons et caressons! Quand elle en aura envie, et son partenaire aussi, et qu'ils seront prêts à passer à une autre étape, en toute liberté, ce sera le moment. L'âge normal, c'est celui-là.

L'homosexualité

Pourquoi il y a autant de pédés? J'ai beau essayer de les accepter, ça me dégoûte de penser que des gars s'enculent. Avouons qu'il faut vraiment être malade et pas très normal pour faire des choses semblables!

Grégory

Comme Grégory, de nombreuses personnes sont convaincues que la principale activité sexuelle des gays est le rapport anal. Une précision s'impose d'emblée : des recherches montrent qu'il y a autant de relations de pénétration anale chez les hétérosexuels que chez les homosexuels. Les échanges sexuels consentis et responsables, entre deux personnes «majeures et vaccinées», ne regardent qu'elles. C'est mon point de vue. Je profite de cette question pour signaler que les conduites sexuelles les plus taboues, les moins acceptées socialement sont celles qui ne visent que le plaisir et qui ne peuvent mener à la procréation : masturbation, homosexualité, sexualité des personnes âgées, sexualité des enfants. Cette vision réductrice de la sexualité est d'autant plus factice qu'on sait bien que la presque totalité des relations hétérosexuelles sont vécues uniquement dans une perspective de plaisir et de partage, sans viser la reproduction. Chaque famille compte en moyenne 1,5 enfant au Québec. Les hommes et les femmes qui composent ces familles auraient-ils eu seulement un rapport sexuel et demi au cours de toute leur vie sexuelle active?

JE SUIS ENFANT UNIQUE ET, QUAND J'ÉTAIS PETIT, JE PENSAIS QUE MES PARENTS AVAIENT FAIT L'AMOUR *UNE SEULE FOIS !*

EST-CE MON CŒUR OU MON SEXE QUI BAT SI FORT?

Voilà la grande question adolescente : comment savoir si on est vraiment en amour? Détricoter l'écheveau de nos sentiments, états, émois et sensations ne va pas de soi. D'ailleurs,

ne monte-t-on pas en amour bien plus qu'on y tombe? Chose certaine, on tombe en désir bien plus souvent qu'en amour. Cela n'est pas moins noble; c'est autre chose. Une sorte de *buzz*, très agréable. Tellement agréable qu'on se surprend à prier pour que ça dure. On confond amour du désir et désir d'être en amour.

À force de faire l'amour pour trouver l'Amour, on finit par s'écorcher le cœur et par attraper des bibittes... À force de tomber en amour pour se justifier de baiser, on finit par être tout... mélangé. Comment différencier ces états? Comment distinguer nos besoins affectifs de nos besoins sexuels? Comment départager un besoin de séduire (pour se prouver qu'on le peut) d'une réelle attirance? C'est loin d'être simple, même à l'âge adulte. Tentons d'y voir clair. Je dirais que l'amour renvoie à l'affection, à l'admiration, à l'attachement, à la tendresse, à l'engagement, au désir de créer les liens solides, à une volonté de durée, à l'idée de bâtir ensemble, de s'engager. Alors que le désir brut se réfère à la faim et à la soif, à la fascination du nouveau, à la tentation, à la découverte de nouvelles odeurs et saveurs, à un besoin à contenter.

Les *fuck friends*, comme certains les appellent sans fausse pudeur, permettent aux besoins et aux désirs de se vivre. C'est l'élan, l'impulsion entre deux personnes, dans l'intention d'assouvir le corps et ses pulsions. On fait l'amour pour se faire du bien, sans autre intention. Quand on est conscient de cela, on peut choisir de faire avec, ou pas. On s'arrange d'ailleurs bien mieux d'un désir non partagé que d'un amour à sens unique. Les garçons et les hommes ont moins de scrupules à distinguer *trip de cul* et *trip de cœur*. Comment s'y retrouver? Un indice: après un rapprochement sexuel avec une personne qu'on n'aime pas d'amour, on se retrouve, une fois le feu d'artifice terminé, presque aussi étranger qu'avant l'un devant l'autre. L'expérience, aussi plaisante qu'elle ait pu être, laisse tout au plus un bon souvenir. Par contre, après le rapprochement sexuel qui accompagne le sentiment amoureux, une impression de plénitude et de

135

confort affectif nous habite, nous enveloppe. Un sentiment d'intimité avec l'autre succède au vertige.

Au début d'une relation, on est dans la brume : un puissant désir sexuel se confond aisément avec le choc amoureux. Ce sont les sentiments qui persistent en nous, une fois que la routine s'est un peu installée et que l'attrait du nouveau s'est estompé, qui clarifient le caractère de la relation : amoureux, amical, sexuel ou tout cela en même temps. Plus simplement, je dirais que l'on commence à aimer une personne lorsque celle-ci devient importante, unique, à nos yeux. Si tu as l'impression que ton partenaire caresse ton cœur quand il câline ta peau, il est certainement amoureux… Ahhhhhh….

TU AS DES DROITS ET DES OBLIGATIONS, LES AUTRES AUSSI !

Ta sexualité t'appartient. Elle n'appartient pas à ton chum ou à tes parents. Pas plus qu'à tes professeurs ou aux spécialistes dont je suis. Tu vis dans une société où, dans toutes les sphères de la vie, incluant la sexualité, tu as des droits : droit de vivre ou pas ta sexualité, d'obtenir de la contraception, d'être différent, de consulter en toute confidentialité à partir de 14 ans… Tu as le droit d'aimer et d'être aimé. L'exercice de tes droits et ta liberté finissent là où ceux des autres commencent. Tu ne dois pas l'oublier. C'est ton droit de proposer à ton amie des rapports sexuels. C'est aussi son droit de refuser ou d'accepter. C'est ton droit de demander à tes parents de dormir dans ta chambre, sous le toit familial, avec ton amoureux. C'est aussi leur droit de refuser.

> ENTENTE CONCLUE ENTRE ROBERT (PÈRE) ET KEVIN (FILS): KEVIN PEUT INVITER SA BLONDE À COUCHER À LA MAISON LE WEEK-END ET ROBERT PEUT BAISSER LE VOLUME DE LA GUITARE ÉLECTRIQUE DE KEVIN EN SEMAINE.

Avoir des droits implique qu'on a aussi des obligations. La première, pour tous comme pour toi, est de se prendre en charge : obligation morale d'assumer sa dimension sexuelle et ses conséquences sur soi et sur autrui. La responsabilité est large. Elle englobe le respect des valeurs d'autrui, que tu y adhères ou non : celles de ta blonde, de ses parents, des copains, de leur famille, de ta famille, etc.

Le respect appelle le respect. Rien n'est à sens unique.

CES CHERS PARENTS !

Les jeunes hésitent à parler de sexualité avec leurs parents : ils ont peur d'être jugés, censurés. Peur que leurs *vieux* capotent. Les parents hésitent à discuter de sexualité avec leurs ados : ils ne savent pas comment s'y prendre, ils sont mal à l'aise. Ils sont inquiets aussi. Désirant ardemment protéger leur couvée, et lui éviter déceptions, souffrances et désillusions, ils deviennent parfois des parents poules.

Sais-tu qu'il y a à peine 50 ans, les «jeunes» n'existaient pas? Je ne blague pas, la notion de «jeunesse» en tant que groupe social distinct correspondant à une période fondamentale de l'existence n'existait pas. Certes, il y a toujours eu des êtres humains âgés de 12 à 18 ans, mais ils ne constituaient pas une communauté spécifique et préoccupante comme c'est le cas aujourd'hui. À cette époque, on passait plus ou moins du stade d'enfant à celui d'adulte, sans grande étape transitoire. Si on fait exception des familles mieux nanties ou élitistes, les garçons devaient travailler à la dure, aux champs, dans les bois ou à l'usine dès l'âge de 12 ou 13 ans, comme des hommes. Quant aux filles, elles n'avaient pas toujours accès aux études supérieures telles qu'on les

connaît aujourd'hui et pouvaient devenir, dès la puberté, des jeunes mères substituts pour leurs nombreux frères et sœurs ou encore des aides ménagères. Il n'était pas rare que les jeunes quittent la maison familiale dès l'âge de 14 ou 15 ans pour fonder une famille à 16 ans. Aujourd'hui, la période de l'adolescence est comprise entre la fin des études primaires (environ 12 ans) et les études collégiales (17–20 ans). Or, cette échelle de scolarisation n'existait pas non plus autrefois.

Ce mini survol te permet d'entrevoir quel monde sépare la jeunesse de tes grands-parents de celle de tes parents, puis l'adolescence de tes parents de la tienne. À la lumière de ces différences, il n'est pas surprenant que la communication et la compréhension soient parfois difficiles à établir entre les personnes de diverses générations.

Les parents d'aujourd'hui font face, en même temps que leurs rejetons, à des réalités pour lesquelles ils n'ont pas de modèles. Ils doivent digérer et s'adapter à des phénomènes sans y avoir été préparés : multiplication des modèles familiaux, adolescence qui se prolonge indéfiniment, enfants qui ne décollent pas de la maison avant 30 ans, perspectives d'emploi peu réjouissantes, envahissement de la maison familiale par des couples adolescents, dépendance économique prolongée de ceux-ci, vie sexuelle active sous le toit familial, MTS et sida, phénomène des drogues, et j'en passe.

Jeunes et parents ont un triple défi à relever : maintenir ouverte la porte qui conduit au dialogue, respecter la vie privée des uns et des autres, sans se sentir menacés, accueillir les points de vue et les valeurs de l'autre partie sans juger ni condamner.

À TOI DE JOUER !

Je me démêle   OUI   NON

1) Ce chapitre m'a aidé à mieux comprendre
   mes sentiments amoureux ou mes
   désirs sexuels.   ❑   ❑

2) Ce chapitre m'a fait réfléchir sur mes limites
   et mes préjugés quant à la normalité.   ❑   ❑

3) Ce chapitre m'a rassurée quant à ma propre
   normalité.   ❑   ❑

4) Ce chapitre m'a fait comprendre que j'ai
   non seulement des droits, mais aussi
   des obligations.   ❑   ❑

5) Ce chapitre m'a donné le goût d'en
   apprendre davantage sur l'adolescence
   de mes parents.   ❑   ❑

Réponses : Il n'y a pas de bonnes ni de mauvaises réponses à ce questionnaire. Seulement une interprétation. Si tu as surtout répondu « Non », de deux choses l'une, soit que j'ai manqué mon coup, soit que tu n'avais pas du tout besoin de ce livre (tu aurais pu l'écrire).

140

CHAPITRE 12

LE PETIT ROBERT DES ADOS, DE A À Z. MOTS D'AMOUR ET MOTS SEXY...

A, comme dans l'Amour, toujours l'Amour

Abus (ou agression) sexuel: Ensemble des comportements (gestes ou mots) qui visent à obtenir des faveurs ou gratifications sexuelles d'une personne qui ne les désire pas (ou qui n'y consent pas).

Adolescence: Période de la vie allant de la puberté à l'âge adulte.

Adonis: Garçon qui correspond à un idéal de beauté. Un pétard, quoi!

Amourette : Amour passager sans conséquence ; on dit aussi *kick*, béguin, flirt. Au pluriel, ce mot provient d'un ancien mot provençal qui signifie testicules de coq.

Androgène : Hormone mâle fabriquée en bonne partie par les testicules qui détermine les caractéristiques masculines et la pulsion sexuelle ; on en retrouve aussi chez les filles.

Anovulant : Contraceptif oral, pilule qui empêche l'ovulation.

Aréole : Cercle qui entoure le mamelon.

Trouve trois autres mots de l'amour et de la sexualité commençant par A : _____ _____ _____

B, comme dans Bai_ _ _

Baiser : Verbe communément utilisé pour signifier «faire l'amour» ou avoir une relation sexuelle. Employé comme nom, c'est une caresse avec les lèvres, un bouche à bouche, un *french* lorsque les langues s'en mêlent, et s'emmêlent.

Branler (se) : Expression populaire qui signifie se masturber.

Bander : Mot populaire pour désigner être en érection.

Bisexualité : Attirance sexuelle et érotique qu'éprouve une personne pour les personnes des deux sexes.

BTS : Bonheurs transmissibles sexuellement.

C, comme dans Cli_ _ _ _ _

Cervicite : Infection du col de l'utérus pouvant atteindre les organes reproducteurs féminins lorsqu'elle n'est pas traitée.

Chaude-pisse : Nom populaire de la gonorrhée.

Chlamydia : MTS fréquente ; infection grave, presque imperceptible, pouvant causer une infection des trompes et conduire à la stérilité féminine.

Circoncision : Opération mineure consistant à enlever partiellement ou entièrement le prépuce.

Clitoris : Petit organe érectile situé au haut de la vulve ; très riche en terminaisons nerveuses, le plaisir est son unique fonction.

Coït : Relation sexuelle incluant la pénétration.

Coït interrompu : Action qui permet à l'homme de se retirer du vagin avant l'éjaculation. Jadis on utilisait cette pratique pour prévenir la grossesse. C'est un mode de contraception parfaitement inefficace !

Col de l'utérus : Partie étroite de l'utérus, au fond du vagin.

Condom (ou préservatif) : Enveloppe en latex visant à se donner des BTS et permettant d'éviter les MTS et les grossesses.

Condylome : Verrue génitale pouvant entraîner le cancer du col de l'utérus.

Coup de foudre : Amour subit, bouleversant et passionnel ; il paralyse comme la foudre et rend un peu dingo.

Cunnilingus ou cunnilinctus : Pratique sexuelle consistant à exciter et à donner du plaisir à la femme par des caresses buccales à la vulve et au clitoris. Dans le langage familier, on dit aussi : sucer, lécher, faire minette, manger, brouter...

Cycle menstruel : Période d'une durée approximative d'un mois correspondant à une ovulation.

D, comme dans Démang_ _ _ _ _ _

Défloration : Moment où a lieu la rupture de l'hymen ; fait référence à la première relation sexuelle avec pénétration.

Désir sexuel : Appétit, attirance envers un « objet » connu ou imaginé en vue de la satisfaction sexuelle. Tendance consciente au plaisir sexuel.

Dilater : Élargir, assouplir.

Discrimination sexuelle : Ensemble des comportements et des attitudes visant à considérer ou à traiter une personne avec des égards différents en raison de son sexe.

Douche vaginale : Procédé d'hygiène vaginale recommandé dans certains traitements ; absolument inutile autrement.

E, comme dans Érec_ _ _ _

Éducation sexuelle : Ensemble des connaissances et des notions transmises dans le but d'assurer le développement, l'autonomie, la responsabilité et le mieux-être sexuels et affectifs des hommes et des femmes.

Éjaculation : Émission et expulsion du sperme par l'urètre ; associée à l'orgasme chez le garçon.

Érection : Gonflement et raidissement de certains organes (pénis, clitoris, mamelons) sous l'effet de l'excitation sexuelle.

Érogène: Qualité de ce qui est susceptible de provoquer l'excitation sexuelle.

Érotique: Qualité de ce qui excite ou de ce qui est suscité par l'attrait sexuel; sensuel, voluptueux.

Érotiser: Accorder à un symbole ou à un objet un caractère érotique.

Érotisme: Ensemble des comportements, attitudes, goûts et «penchants» relatifs à l'amour, à la sexualité, à la sensualité.

Examen andrologique ou gynécologique: Acte médical par lequel sont examinés et palpés les organes génitaux, externes et internes, de l'homme ou de la femme.

Excitation sexuelle: Ensemble des changements corporels qui surviennent lors d'une stimulation sexuelle; état d'émoi, de trouble.

Exploitation sexuelle: Utilisation d'une personne à des fins sexuelles et au profit d'une autre personne.

Estrogène ou œstrogène: Hormone sexuelle féminine responsable de la lubrification vaginale et des caractéristiques sexuelles secondaires; se retrouve aussi chez les garçons, mais en moins grande quantité.

F comme dans Formi_ _ _ _ _

Faire attention: Expression signifiant que le garçon tente d'éviter l'éjaculation à l'intérieur du vagin dans le but d'empêcher une grossesse. Méthode de contraception antédiluvienne, un vrai calvaire pour les partenaires! Vive l'abandon avec un condom!

Faire l'amour: Je te laisse le soin de formuler ta propre définition.

Fantasme: Images, rêveries éveillées, scénarios sexuels qui suscitent l'excitation.

Fellatio ou fellation : Pratique sexuelle consistant à exciter et
à donner du plaisir à l'homme par des caresses buccales
sur le pénis et en particulier sur le gland ; dans le langage
populaire : sucer, tailler une pipe, faire une turlutte.

Flirt : Relation sexuelle ou amoureuse dénuée de sentiments
profonds ; état de tout rapprochement à ses débuts, mais
surtout associé aux relations qu'on ne veut pas approfondir.

Frein du pénis : Petit repli de la peau sur la surface ventrale
du pénis ; un frein qui ne freine rien… !

Frustration sexuelle : État d'une personne qui n'obtient pas
satisfaction d'un besoin, d'un désir ou d'une excitation
sexuelle.

G, comme dans gl_ _ _

Gale : Minuscule parasite qui creuse des galeries sous la peau ; se transmet par contacts corporels. Ça pique en titi !

Gland : Extrémité du pénis recouverte par le prépuce, zone masculine la plus érogène.

Gonorrhée : MTS surnommée « dose » ou « chaude-pisse » ; elle peut entraîner des douleurs et même la stérilité.

Grandes lèvres : Replis de peau recouverts de poils sur leurs faces externes ; s'ouvrent sur les petites lèvres, le clitoris, l'orifice vaginal et l'orifice de l'urètre.

G spot ou point G : Zone de sensibilité située sur la paroi vaginale avant, au tiers externe du vagin.

Gynécologie : Spécialité médicale qui concerne la santé sexuelle et reproductrice des femmes.

H, comme dans hétéros_ _ _ _ _ _ _ _

Harcèlement sexuel : Ensemble des comportements (gestes ou mots) qui visent à soumettre une personne de façon répétitive à des remarques, propositions et avances à caractère sexuel ou sexiste.

Hépatite B : Infection causée par un virus qui affecte le foie ; ceux qui ont de nombreux partenaires sexuels courent davantage de risques de contracter cette maladie pour laquelle il existe un vaccin efficace.

Herpès génital : MTS dont les lésions, assez douloureuses, apparaissent par intermittence ; cette MTS peut être transmise au bébé lors de l'accouchement.

Homophobie : Peur, rejet ou hostilité à l'égard des personnes homosexuelles.

Hymen : Fine membrane qui voile partiellement l'entrée du vagin.

I, comme dans Imagin_ _ _ _

Identité sexuelle : Sentiment intérieur d'appartenance à un sexe et à un groupe sexué.

Inceste : Conduites sexualisées, le plus souvent abusives, entre des personnes liées par le sang ou par la filiation.

Incubation : Laps de temps qui s'écoule entre le moment où une personne est contaminée et l'apparition des premiers symptômes d'une maladie.

Inflammation : Ensemble des réactions provoquées par différents agents : chaleur, rougeur, douleur, enflure, congestion, sensation de brûlure.

IVG : Interruption volontaire de grossesse.

J, comme dans jouissance, joie, Jocelyne

Amuse-toi à trouver trois autres mots commençant par J qui te font penser à l'amour et à la sexualité._____ _____ _____ Le prénom Jocelyne signifie «celle qui répand la joie». Vrai ou faux selon toi? Allez, crache la vérité !

K, comme dans KY

Si tu ne sais pas ce que c'est, demande à ta mère ou… au pharmacien.

KY, EST-CE UN PRODUIT DE CALVIN KLEIN ?

L, comme dans Lubri_ _ _ _ _ _ _ _

Lesbienne: Fille, femme d'orientation homosexuelle.

Libido: Dynamique de l'instinct sexuel, principe de vie, recherche du plaisir…

Lubrification: Sudation, «mouillage» des parois vaginales sous l'effet de l'excitation sexuelle.

M, comme dans Morpion

Mamelon: Bout du sein, le mamelon durcit et se dresse lors de l'excitation sexuelle; zone très érogène.

Masturbation: Conduite autoérotique visant à se donner du plaisir.

Méat urinaire: Orifice de l'urètre qui permet l'écoulement de l'urine, situé entre l'orifice vaginal et le clitoris chez la fille. Chez le garçon, cet orifice s'ouvre au bout du gland; un mécanisme physiologique empêche l'urine et le sperme de s'écouler en même temps.

Menstruation (ou règles): Écoulement de sang mêlé d'eau, survenant à peu près chaque mois, causé par le détachement de la couche superficielle de l'utérus en l'absence de grossesse.

Mont de Vénus: Coussin triangulaire sur l'os pubien qui se recouvre de poils à l'arrivée de la puberté.

Morpion (ou pou de pubis): Bestioles vampires qui se nourrissent du sang de leur hôte et qui se logent dans les régions poilues et chaudes du corps. Se transmettent par contacts physiques ou par l'entremise de literie contaminée.

Muqueuse: Membrane qui tapisse les cavités corporelles et qui peuvent se lubrifier par la sécrétion de mucus: muqueuses de la bouche, du vagin, de l'anus.

MTS ou MST: Maladies transmissibles par contact sexuel.

N, comme dans Normalité, Nymphomane, Nono_ _ _ _ _

Si tu essayais de trouver trois mots commençant par la lettre «N» que tu associes à la sexualité? Attention: Pas de Niaiserie comme Nasale ou Nounoune...

_____   _____   _____

Nymphomanie: Exagération des besoins sexuels; autrefois, les femmes qui manifestaient leurs besoins et leurs désirs sexuels étaient taxées de nymphomanes. Homme ou femme, les besoins sexuels varient d'une personne à l'autre, selon les étapes et les circonstances de la vie.

O, comme dans Oh là là!

Orgasme: L'Himalaya du plaisir sexuel, déferlement de sensations en vagues agréables et bienfaisantes; correspond à l'éclatement de la tension sexuelle accumulée.

Ovaires: Les deux glandes sexuelles féminines internes qui produisent les ovules et les hormones sexuelles.

Ovulation: Libération de l'ovule et période de fertilité féminine.

Ovule: Gamète femelle libérée par l'ovaire au moment de la période de fertilité; c'est la plus grosse cellule du corps humain et sa durée de vie est d'environ quarante-huit heures.

CHÉRI... TROUVES-TU QUE JE SUIS *GROSSE* ?

P, comme dans P_ _ _ _

Pédophilie: Ensemble des comportements et attitudes des adultes qui sont sexuellement attirés par les enfants.

Pénis: Dans le langage populaire: bitte, queue, zizi, quéquette. J'en ai assez parlé; décris donc le tien, tiens...

Périnée: Région comprise entre l'anus et la vulve chez la femme, entre l'anus et le scrotum chez l'homme.

Petites lèvres: Deux replis de muqueuse rougeâtre à l'intérieur des grandes lèvres; elles se rejoignent en un capuchon au-dessus du clitoris; très sensibles, elles se gonflent sous l'effet de l'excitation sexuelle.

Phallus: Représentation du pénis en érection.

Prépuce: Repli de peau mobile sur le gland; enlevé en tout ou en partie lors de la circoncision.

Préservatif: Condom, capote, *safe*…

Progestérone: Hormone sexuelle féminine dont la mission est de préparer l'utérus à accueillir un ovule fécondé.

Prostate: Glande masculine interne qui sécrète le liquide prostatique composant essentiellement le sperme.

Pubis: Région triangulaire entre l'aine et le bas-ventre; sa partie coussinée est le Mont de Vénus.

Q, comme dans « Qualité vaut mieux Que Quantité… »

Trouve un mot commençant par Q qui évoque pour toi la sexualité. Quéquette et Quétaine sont refusés d'emblée!

R, comme « Si tu voyais ses roberts! »

Sais-tu ce que sont des roberts? Un indice: pas nécessaire de s'appeler Robert pour en avoir deux. Le Petit Robert, l'autre, le gros, te l'apprendra…

Réfractaire: Période plus ou moins longue, après l'orgasme, durant laquelle l'homme ne peut être excité de nouveau; la femme n'a pas de période réfractaire.

Règles: Menstruation.

Rouler des pelles: Expression signifiant se *frencher* à bouche que veux-tu. Activité qui se pratique en silence, bouches cousues bien... décousues.

S, comme dans Sens_ _ _ _ _ _

Salpingite: Infection des trompes de Fallope.

Scrotum: Enveloppe des testicules; en passant, on dit un testicule comme on dit un ovule.

Sexisme: Ensemble des attitudes discriminatoires à l'endroit de l'un ou de l'autre sexe.

Sexologie: Discipline qui étudie les phénomènes courants ou marginaux de la sexualité humaine, le traitement des difficultés et souffrances sexuelles, l'information et l'éducation à la sexualité.

Sexologue: Professionnel de la sexologie.

Sexualité: Ensemble des conduites, comportements et attitudes relatifs à l'être humain sexué, à la satisfaction que l'on trouve à s'épanouir en tant qu'homme ou femme. La génitalité est une composante parmi d'autres de la sexualité et l'intérêt sexuel est présent de la naissance à la mort.

Spéculum: Instrument utilisé lors de l'examen gynécologique pour écarter les parois vaginales et observer le col utérin.

Sperme: Liquide blanchâtre qui s'écoule lors de l'éjaculation et qui est qui constitué, entre autres, de spermatozoïdes.

Spermatozoïde : Gamète mâle élaboré à l'intérieur du testicule et par lui ; cette cellule, la plus petite du corps humain, a la forme d'un mini-têtard et survit environ soixante-douze heures dans un milieu propice.

Spermicide : Substance chimique qui détruit ou immobilise les spermatozoïdes pour prévenir la grossesse. De nombreux condoms sont prélubrifiés avec un agent spermicide comme du nonoxynol.

POURQUOI AS-TU PRIS DES CONDOMS AVEC DU *NONOXYNOL* ? TU ME TROUVES *NONO* ?

SPM : Syndrome prémenstruel, c'est l'ensemble des symptômes qu'éprouvent certaines filles ou femmes avant le déclenchement des règles : malaises, irritabilité, tristesse… Dans mon jeune temps, qui ne date pas des dinosaures, SPM voulait dire « Service de Préparation au Mariage »…

Stéréotype sexuel : Ensemble des clichés, modèles ou opinions toutes faites associés aux rôles et aux conduites dévolus aux hommes ou aux femmes dans une société donnée.

Stérilet : Dispositif introduit dans l'utérus par le médecin pour empêcher la grossesse.

Syphilis : MTS grave dont les symptômes passent inaperçus ; elle a fait beaucoup de ravage à l'époque où les antibiotiques n'existaient pas.

T, comme dans Testic_ _ _

Testicules : Les deux glandes sexuelles productrices de sper-
    matozoïdes et d'hormones sexuelles masculines.

Testostérone : Hormone mâle sécrétée par les testicules qui
    stimule le développement des organes génitaux mascu-
    lins et déclenche l'apparition des caractéristiques sexuel-
    les secondaires. Présente aussi chez les femmes en moin-
    dre quantité, on dit que c'est l'hormone du désir.

Trompes de Fallope : Conduits qui vont de chaque côté de
    l'utérus vers les ovaires.

U, comme dans Uté_ _ _

Urètre : Canal excréteur de l'urine chez la femme, de l'urine
    et du sperme chez l'homme.

Urétrite : Infection ou inflammation de l'urètre qui, non trai-
    tée, peut atteindre les organes reproducteurs masculins.

Utérus : Organe féminin en forme de poire logé dans la
    cavité pelvienne et destiné à contenir l'œuf fécondé
    jusqu'à son complet développement.

V, comme dans « Vas-y mollo » ! ou « Viens pas trop Vite ! »

Vagin : Conduit extensible allant de la vulve au col de l'uté-
    rus ; permet la relation coïtale, l'écoulement menstruel et
    le passage du bébé lors de l'accouchement. Le vagin n'est
    pas un trou, c'est un espace virtuel.

Vaginisme : Contraction involontaire des muscles de la
    région génitale féminine rendant difficile, douloureuse ou
    impossible toute pénétration.

Vaginite : Infection vaginale.

Viol : Acte par lequel une personne en force une autre à se soumettre à une activité sexuelle.

Vulve : Dans le langage populaire : chatte, touffe, con, moule... Ensemble des organes génitaux externes de la femme qui comprend les grandes et les petites lèvres, le clitoris et l'orifice vaginal.

W, comme dans Wabadabadou... !

X, comme dans heu... XX (ta blonde) ou XY (ton chum)

Y, comme dans Youppie !

Z, comme dans Zing Zing pow pow tchike tchike wow wow !

Zones érogènes : Parties du corps les plus « allumantes » et les plus allumées.

Les zones érogènes de la femme : le clitoris, les mamelons, l'entrée du vagin mais aussi, les lèvres – de la bouche et de la vulve –, la nuque, les fesses, l'anus, les seins, le bas du dos, l'intérieur des cuisses, le lobe de l'oreille, le cuir chevelu, la plante des pieds, la rotule...

Les zones érogènes du garçon : le pénis et plus particulièrement le gland et le frein du pénis, les mamelons, l'anus, la nuque, les biceps, la langue, l'entrecuisse, le tympan, l'aine, le menton, le nombril, le grain de beauté, la cicatrice au-dessus de l'œil...

Si tu connais d'autres mots érotiques, à part zizi, dont la première lettre est un W, un X un Y ou un Z, ta culture sexologique dépasse la mienne. Écris-moi pour me les apprendre : jocelyne_robert@videotron. ca

CHAPITRE 13

À L'AIDE !

DU SECOURS QUÉBÉCOIS

Pour n'importe lequel de tes besoins, deux numéros sans frais à retenir :

TEL–JEUNES : 1 800 263–2266

JEUNESSE–J'ÉCOUTE :
1 800 668–6868

INFO–CLSC :
Voir, pour ta région, le numéro de téléphone inscrit sur la deuxième page de l'annuaire téléphonique ou sur le site Internet du ministère de la Santé et des
Services sociaux :
http://www.msss.gouv.qc.ca/f/reseau/infoclsc.htm

Pour tes parents : LIGNE–PARENTS : 1 800 361–5085

Abus, agression, harcèlement, violence...

Après–coup
148, rue Saint–Louis
Lemoyne (Québec)
J4R 2L5
Aide les jeunes de 12 à 17 ans aux prises avec des problèmes de violence
Tél. : 1 800 330–6461 (sans frais)

Centre de prévention des agressions de Montréal
C.P. 237, succ. Place du Parc
Montréal (Québec)
H2W 2M9
Tél. : (514) 284–1212

Centre pour victimes d'agression sexuelle de Montréal
Tél. : (514) 934– 4504
Fax : (514) 934–3776

Centre national d'information
sur la violence dans la famille, Santé Canada
Tél. : 1 800 267–1291 (sans frais)
Fax : 1 800 561–5643 (sans frais)

Commission des droits de la personne
et des droits de la jeunesse
Tél.: 1 800 361–6477 (sans frais)
Courriel: cdpdjbiblio@cdpdj.qc. ca

Ligue des droits et libertés
4416, boul. Saint–Laurent, bur. 101
Montréal (Québec)
H2W 1Z7
Tél.: (514) 849–7717

Direction de la protection de la Jeunesse
1001, de Maisonneuve Est
Montréal (Québec)
H2L 4R5
Tél.: (514) 896–3100 (Montréal)
1 800 361–5310 (sans frais, ailleurs au Québec)

Groupe d'aide et d'information
sur le harcèlement sexuel au travail
4229, rue De Lorimier
Montréal (Québec)
H2H 2A9
Service d'écoute et aide technique
Tél.: (514) 526–0789
Fax: (514) 526–8891

Mouvement contre le viol et l'inceste
Tél.: (514) 348–0209
(Montréal)

Besoin d'aide et de parler...

Jeunesse-j'écoute
Centre d'écoute et de référence, service bilingue
Tél.: 1 800 668-6868 (sans frais)

Tel-Jeune
C. P. 186, succ. Place d'Armes
Montréal (Québec)
H2Y 3G7

Service d'écoute et d'intervention téléphonique
Tél.: (514) 288-2266 (Montréal)
1 800 263-2266 (sans frais, ailleurs au Québec)

Consultation médicale, sexologique

Clinique des jeunes Saint-Denis
1250, rue Sanguinet
Montréal (Québec)
H2X 3E7
Services de santé gynécologique et sexuelle, MTS,
avortement
Tél.: (514) 844-9333

Hôpital Sainte-Justine
Médecine de l'adolescence
3175, chemin de la Côte Sainte-Catherine
Montréal (Québec)
H3T 1C5
Service de santé pour adolescents
Tél.: (514) 345-4931 poste 4662

Hôpital de Montréal pour enfants
Médecine de l'adolescence
1040, rue Atwater
Montréal (Québec)
H3Z 1X3
Service de santé pour adolescents
Tél.: (514) 934-4481

Aussi l'infirmière de ton école, la Clinique-Jeunesse et le CLSC de ton quartier ou de ta région

Décrochage scolaire

La maison de Jonathan
81, rue Saint-Jean
Longueuil (Québec)
J4H 2W8
Prévention du décrochage et aide aux décrocheurs
Tél.: (450) 670-4099

L'Ancre des jeunes
3565, boul. Lasalle
Verdun (Québec)
H4G 1Z5
Tél.: (514) 769-1654

Détresse, idées suicidaires

Association québécoise de suicidologie
Tél.: 1 800 696-5858 (sans frais)

Suicide Action Montréal
Tél.: (514) 273-4000

Drogues

Drogues aide et référence
Tél.: (514) 527–2626 (Montréal)
1 800 265–2626 (sans frais ailleurs au Québec)

Narcotiques anonymes
Tél.: 1 800 463–0162 (sans frais)

Grossesses, avortement, contraception

Birthwright of Montreal
4100, rue Saint–Antoine
Montréal (Québec) H4C 1C1

Service d'écoute et de conseil, test de grossesse gratuit
Tél.: (514) 937–9324 (Montréal)
1 800 550–4900 (sans frais, ailleurs au Québec)

Centre de santé des femmes de Montréal
16, boul. Saint–Joseph Est
Montréal (Québec) H2T 1G8
Service de référence et de conseil
Tél.: (514) 842–8903

Clinique médicale Fémina
1265, rue Berri, bureau 430
Montréal (Québec) H2L 4X4
Tél.: (514) 843–7904

Clinique Morgentaler
30, boul. Saint–Joseph Est, bureau 710
Montréal (Québec) H2T 1G9
Tél.: (514) 844–4844
Téléc.: (514) 844–7883
Courriel: clinmm@qc.aira.com

Fédération du Québec pour le planning des naissances
2540, rue Saint-Joseph Est
Montréal (Québec) H2Y 2A2
Tél. : (514) 522-6511

Grossesse-secours
79, rue Beaubien Est
Montréal (Québec) H2S 1R1
Tél. : (514) 271-0554

SOS Grossesse
Tél. : (418) 682-6222 (Québec)
Tél. : 1 877 662-9666 (sans frais, ailleurs au Québec)

SOS Grossesse (Estrie)
Tél. : (819) 822-1181
Tél. : 1 877 822-1181 (sans frais)

Orientation sexuelle

Gai Écoute
C.P. 1006, Succ. C
Montréal (Québec) H2L 4V2
Service d'écoute anonyme
Tél. : (514) 866-0103 (Montréal)
1 888 505-1010 (sans frais, ailleurs au Québec)

Groupe Égal
Soutien aux parents d'enfants homosexuels
Tél. : 1 888 275-2233 (sans frais)

MTS-VIH/Sida

Action séro zéro
C.P. 246, Succ. C
Montréal (Québec) H2L 4K1
Tél.: (514) 521-7778

Centre d'action sida Montréal
84, boul. Notre-Dame Ouest, bureau 101
Montréal (Québec) H2Y 1S6
Tél.: (514) 843-3636 (accepte les frais d'appel)
(514) 749-8112 (urgence)

Centre d'intervention sida Montréal
1801, de Maisonneuve Ouest, bureau 400
Montréal (Québec) H3H 1J9
Service d'information et de conseil, test sanguin
Tél.: (514) 934-0552
Fax: (514) 934- 3776

Clinique médicale l'Actuel
1001, de Maisonneuve Est
Montréal (Québec) H2L 4P9
Tél.: (514) 524-1001

Info-MTS
Service d'information et de référence
Tél.: (514) 529-5311 (Montréal)
(418) 648-2625 (Québec)
1 800 463-5656 (sans frais, ailleurs au Québec)

I.R.I.S.Estrie
505, rue Wellington Sud
Sherbrooke (Québec) J1H 5E2
Tél.: (819) 823-6704
Fax: (819) 823-5537

Ligne Info–sida
Tél. : (514) 521–7432 (Montréal)
(418) 648–2626 (Québec)

Réseau communautaire d'info–traitement sida
Tél. : 1 800 263–1638 (sans frais)

Sida Centre–Ville
1250, rue Sanguinet
Montréal (Québec)
H2X 3E7
Tél. : (514) 847–0644
Fax : (514) 847–0728

Société canadienne du sida :
Tél. : 1 800 884–1058 (sans frais)

Problèmes avec la justice

Le Service de garde de l'Aide juridique
Service gratuit d'urgence (24 heures)
Tél. : (514) 842–2233 (Montréal et Laval)
(418) 643–1235 (Québec)
(819) 563–4721 (Estrie)
(819) 561–9555 (Outaouais)
1 800 842–2213 (sans frais, ailleurs au Québec)

Le Service de garde spécial pour les jeunes offert
par le Barreau du Québec
Tél. : (514) 278–1738 (Montréal)

Sexualité

Regroupement professionnel
des sexologues du Québec (RPSQ)
C.P. 32090, Succ. Saint-André
Montréal (Québec)
H2L 4Y5
Tél. : (514) 990–4470
Courriel : rpsq@yahoo.fr

DU SECOURS FRANÇAIS

Allo
Pour jeunes de 6 à 15 ans
Tél. : 01 46 87 55 00

Centre de recherche et
d'intervention sur le suicide
Tél. : 01 44 75 54 54

Croix-Rouge Écoute
Tél. : 0 800 858 858

Écoute gaie
Tél. : 01 44 93 01 02

Écoute jeune
Tél. : 01 44 93 44 94

Espace écoute jeunes
Tél. : 04 76 87 54 82 (région de Grenoble)

Fil Santé Jeunes
Des spécialistes répondent à toutes les questions des jeunes
Tél. : 01 05 23 52 36
0 800 235 236

Homofil
Tél.: 04 91 42 60 60

L'Enfant Bleu
Association qui offre assistance aux adolescents
victimes de maltraitance
Tél.: 01 55 86 17 57
Site internet: www.enfant.bleu.free.fr
Courriel: enfant.bleu@free.fr

Ligne Azur
Sexualité, ligne d'écoute, du lundi au samedi de 17 à 21h
Tél.: 0 810 20 30 40

Mouvement français pour le planning familial
Tél.: 01 48 07 29 10, pour obtenir l'adresse du centre le plus
près de chez toi

SIDA info service (24 heures)
Tél.: 0 800 840 800

S.O.S. Dépression (24 heures)
01 45 22 44 44

S.O.S. Drogue International
Tél.: 01 05 05 88 88

S.O.S. Homophobie
Tél.: 01 48 06 42 41

S.O.S. Suicide
Tél.: 01 05 13 40 38

S.O.S. Suicide Phénix
Tél.: 01 40 44 46 45 (24 heures)

Suicide–écoute
Tél.: 01 45 39 40 00

DU SECOURS BELGE

Aide info–sida A.S.B.L.
Tél.: 02 514 29 65
0 800 20120

Alcooliques anonymes
Tél.: 065 82 59 99

Centre de prévention du
suicide
Tél.: 02 640 6565
0 800 32 123

Écoute–Jeunes
Tél.: 078 15 44 22
04 248 09 58

Info drogues A.S.B.L.
(24 heures)
Tél.: 02 227 5252

Infor Homo
Tél.: 02 733 1024

Info sida
Tél.: 02 627 75 23

S.O.S. Jeunes
Tél.: 02 512 90 2O

S.O.S. Parents–enfants
Tél.: 056 64 70 14

S.O.S. Solitude
Tél.: 32 2 548 98 08

DU SECOURS LUXEMBOURGEOIS

Centre de rencontre pour
jeunes filles en détresse
Abus sexuel et violence
Tél.: 49 41 49

Info drogues et alcool
Tél.: 47 57 47

Planning familial
Tél.: 48 59 76

Sida info
Tél.: 40 62 51

S.O.S Détresse
Tél.: 45 45 45

DU SECOURS SUISSE

Alco–ligne
Tél.: 0 848 800 808

Alcooliques Anonymes
Tél.: 021 626 26 36
0 848 848 846

Association vaudoise
de personnes concernées par
l'homosexualité
Aide gai soutien
Tél.: 021 646 25 35

Association Violence Hors Silence
Tél.: 021 329 02 22

Groupe sida Genève
Tél.: 089 203 61 53

Infor Jeunes–Centre d'Information
(sans rendez-vous)
Tél.: 22 311 44 22

Narcomanes Anonymes
Tél.: 027 322 90 00
022 731 78 78

Profa Jeunes
Écoute, soutien et orientation
Tél.: 079 310 31 78

S.O.S. Jeunesse
Tél.: 027 323 18 42 (24 heures)

DU SECOURS INTERSIDÉRAL

Besoins généraux...
http://www.clubs.voila.fr
http://www.multimania.com/webados/
http://www.jeunesse. sympatico.ca
http://www.msss.gouv.qc.ca
http://www.hc–sc.gc.ca
http://www.ciao.ch
http://jeunesse.sympatico.ca
http://scarleteen.com

Détresse, idées suicidaires
http://www.cam.org/aqs
http://www.preventionsuicide. be
http://jeunesse.sympatico.ca

Drogues
http://aa.org/index_F.html
http://www.cam.org/fobast/Guide_jeunes.html

http://www.sfa–ispa.ch
http://www.ciao.ch

Grossesse, contraception, avortements...

http://www.sosgrossesse.org
http://www.sosgrossesseestrie.qc.ca
http://www.ping.be/planning–familial
http://www.morgentaler.ca/
http://www.teenpregnancy.org
http://pages.globetrotter.net/sosgrossesse/
http://www.sosgrossesseestrie.qc.ca/

MTS-VIH/sida...

http://www.hc–sc.gc.ca/hpb/lcdc/public/stdmts/index_f.html
http://www.hc–sc.gc.ca/flash/sida
http://www.iris–estrie.ca.tc

Orientation sexuelle...

http://www.gai–ecoute.qc.ca
http://www.vogay.ch

Sexualité

http://www.unites.uqam.ca/dsexo/index. htm
http://www.ciao.ch
http://www.multimania.com/webados
http://www.ntic.qc.ca/blaf
http://www.sxetc.org

CIAO !

Nous voici parvenus au terme de ce voyage au pays de ta sexualité et de tes amours. J'espère que tu as pris autant de plaisir à parcourir ces pages que nous en avons eu, Jean-Nicolas et moi, à les créer. Et je souhaite aussi avoir touché mon but qui, tu te souviens, était que l'exercice soit réjouissant.

Peut-être te demandes-tu, l'âge adulte c'est pour quand? Le devient-on au lendemain de ses 18 ans? À 21 ans? À vrai dire, je n'en sais rien. Je rencontre parfois des ados-boomers de 50 ans, des adultes-ados de 17; des sexagénaires fringants et émerveillés, des garçons usés et désabusés à 16 ans, des filles de 13 ans qui en paraissent 18, qui se comportent comme si elles en avaient 30…

L'âge adulte, c'est peut-être quand la vie prend une signification nouvelle, avec du plaisir, des difficultés, de l'intérêt, des responsabilités. Quand chacun peut envisager, sereinement, de vivre seul, de s'assumer, de créer des liens, des ententes, des collaborations. C'est aussi quand on sait – quand on a appris donc – que les choses prennent du temps, que rien n'est jamais acquis, que la vérité est bien relative et qu'elle apparaît souvent grâce à des erreurs que l'on a faites, que l'on fait et que l'on fera.

Tu es actuellement à un carrefour jalonné de découvertes et d'aventures. Tu explores, avec tout ce que cela comporte d'angoissant, un univers de nouveautés, une saison de « premières » : entrée au secondaire puis au cégep, premier amour, première peine d'amour, premier plaisir sexuel, première relation sexuelle partagée, premier examen gynécologique, premier emploi, premier gros show auquel tu assistes, premier vrai sentiment d'appartenance à un groupe, premier permis de conduire, première cuite souvent, première expérience de drogue parfois… premier *bad trip*, première MTS… Ouf, essoufflant! Fabuleusement vivant!

Profite pleinement et judicieusement de cette effervescence. Sans trop te laisser tirer par en arrière ou par en avant, en savourant ce double et éphémère privilège, d'être tantôt choyé comme un enfant, tantôt considéré comme un adulte. Sentiment étrange, à la jonction du plaisir et du déplaisir, d'être suspendu entre deux mondes avec, au fond de toi, une impulsion irréversible de bondir et de rebondir dans le futur.

J'avais un fantasme, celui que *Full Sexuel* t'insuffle un brin d'entrain, fusse-t-il sous forme de réconfort, d'assurance, de joie, de confiance, d'espoir, de sourire… Si le contenu de ce livre t'a donné le goût de renforcer tes racines tout en déployant tes ailes, je pourrai dire qu'il s'est réalisé et j'en serai plus que ravie.

Pour conclure, je te souhaite très fort d'avoir des rêves à n'en plus finir et l'envie furieuse d'en réaliser quelques-uns ; de ne jamais te laisser paralyser par la peur d'être pleinement vivant ; de pouvoir situer toi-même et à ton rythme ta sexualité dans un projet personnel qui donne du sens à ta vie; de trouver la force d'agir sur le monde, plutôt que de laisser le monde agir sur toi.

Allez, ciao!

P.-S.: Écris-moi, si tu en as envie
Jocelyne Robert
Les Éditions de l'Homme
955, rue Amherst
Montréal, Québec
H2L 3K4
Courriel: jocelyne_robert@videotron.ca
         jrobert2002@hotmail.com

NOTES

1. Alyne Samson, « Tout, tout, tout sur le clitoris », *Coup de pouce*, spécial sexe, février 2000.
2. Danie Beaulieu, *Techniques d'impact pour intervention en psychothérapie*, relation d'aide, santé mentale, Québec, Éditions Académie Impact, 1997.
3. Citation de mémoire.
4. G. Trottier et Jo A. Bélanger, *Les peines d'amour chez les jeunes*, Éditions MNH, 2000.
5. Inspiré de *L'estime de soi de nos adolescents*, G. Duclos, D. Laporte et J. Ross, Les Éditions de l'Hôpital Sainte-Justine, 1995.
6. Joseph Levy et Maria G. Baruffaldi, *La sexualité humaine*, Montréal, Les Éditions du Méridien, 1991.
7. Selon mes observations professionnelles personnelles.
8. L'histoire de Dave chez le pharmacien, dans *C'est quoi le problème?*, Monique Duchesne, Montréal, Fides, 2000, p. 99.
9. Jocelyne Robert, *Une question vitale, La contraception*, Formation personnelle et sociale, Fascicule de l'élève, vol. 3, nº 7, Éditions Septembre, 1995.

10. Citation de mémoire.
11. Jocelyne Robert, *Un «gros risque», La grossesse à l'adolescence,* Formation personnelle et sociale, Fascicule de l'élève, vol. 3, n° 8, Éditions Septembre, 1995.
12. Inspiré du document déjà cité.
13. Jeu inspiré de la brochure *L'amour ça se protège,* Ministère de la Santé et des Services sociaux (sans date), Québec.
14. Jocelyne Robert, *Parlez-leur d'amour et de sexualité,* Les Éditions de l'Homme, 1999.
15. Michel Dorais, *Mort ou fif,* VLB éditeur, 2000, p. 11.
16. Jocelyne Robert, *Parlez-leur d'amour et de sexualité,* Les Éditions de l'Homme, 1999.
17. Recherche effectuée auprès de 4163 élèves d'écoles secondaires du Massachusetts, dans *Journal of the American Medical Association (JAMA),* août 2001.
18. Ces questions illustrent les inquiétudes et interrogations qui reviennent constamment dans mes échanges avec les ados. Ce sont les mêmes depuis plus de 20 ans. Évidemment, les prénoms sont fictifs.

BIBLIOGRAPHIE

BEAULIEU, Danie, *Techniques d'impact pour grandir,* Version pour adolescents, Québec, Éditions Académie Impact, 2000.

DORAIS, Michel, *Mort ou fif, La face cachée du suicide chez les garçons,* Montréal, VLB éditeur, 2000.

DUCHESNE, Monique, *C'est quoi le problème? Adolescence, mode d'emploi,* Montréal, Éditions Fides, 2000.

DUCLOS, Germain, Danielle LAPORTE, et Jacques ROSS, *L'estime de soi de nos adolescents, Guide pratique à l'intention des parents,* Montréal, Les Éditions de l'Hôpital Sainte-Justine, Coll. Estime de soi, 1995.

LÉVY, Joseph et Maria G. BARUFFALDI, *La sexualité humaine,* Montréal, Les Éditions du Méridien, 1991.

Ministère de la Santé et des Services sociaux, Gouvernement du Québec, *L'amour ça se protège,* sans date.

NAZARE–AGA, Isabelle, *Les manipulateurs et l'amour*, Montréal, Les Éditions de l'Homme, 2000.

ROBERT, Jocelyne, *La première fois, La rencontre sexuelle*, Formation personnelle et sociale, fascicule de l'élève, vol. 3, nᵒ 6, Secondaire 2ᵉ cycle, Québec, Éditions Septembre, 1995.

ROBERT, Jocelyne, *Parlez-leur d'amour et de sexualité*, Guide pour les parents, Montréal, Les Éditions de l'Homme, 1999.

ROBERT, Jocelyne, *Pour jeunes seulement*, Photo–roman d'éducation à la sexualité, Montréal, Les Éditions de l'Homme, 1988 (épuisé).

ROBERT, Jocelyne, *Une question vitale, La contraception*, Formation personnelle et sociale, Fascicule de l'élève, vol. 3, nᵒ 7, Secondaire 2ᵉ cycle, Québec, Éditions Septembre, 1995.

ROBERT, Jocelyne, *Un «gros» risque, La grossesse à l'adolescence*, Fascicule de l'élève, vol. 3, nᵒ 8, FPS Secondaire 2ᵉ cycle, Québec, Éditions Septembre, 1995.

SAMSON, Alyne, *«Tout, tout, tout sur le clitoris»*, Magazine *Coup de pouce*, Spécial sexe, Montréal, février 2000.

TROTTIER, Germain et Jo A. BÉLANGER, *Les peines d'amour chez les jeunes*, Québec, Éditions MNH, 2000.

REMERCIEMENTS

Quelle joie j'ai eue de découvrir, dès les balbutiements de ce livre, une Vallée de talents, de créativité, de sensibilité et d'humour prénommée Jean-Nicolas.
C'est grâce à la magie des dessins de Jean-Nicolas Vallée que Full sexuel est «full» beau et «full» réjouissant.
Gros gros merci Jean-Nic pour ta précieuse et si agréable collaboration. À la prochaine!

Sur mes doigts frissonne un bouquet de baisers chastes et affectueux. Je le souffle aux femmes et aux hommes composant l'équipe des Éditions de l'Homme.

Ce 9e livre est le fruit du soutien indéfectible qu'on m'y accorde, de la confiance renouvelée qu'on me témoigne, de la fécondité de cette relation privilégiée.
90 fois merci.

TABLE DES MATIÈRES

Achevé d'imprimer au Canada
sur papier Enviro 100% recyclé